J・R・R・トールキン

新版

指輪物語6

第二部

二つの塔

上2

瀬田貞二・田中明子 訳

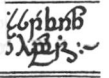

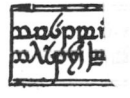

THE TWO TOWERS *(Book Three)*

Being the Second Part of THE LORD OF THE RINGS

by

J. R. R. Tolkien

Originally published by HarperCollins Publishers Ltd

This edition published by arrangement
with HarperCollins Publishers Ltd., London
through Tuttle-Mori Agency, Inc., Tokyo

目　次

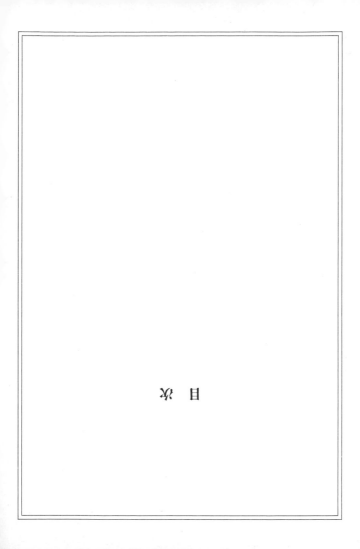

二つの塔 上2

さし絵　寺島龍一

二つの塔

上2

六　黄金館《こがねやかた》の王

一行は日が沈み、黄昏《たそがれ》がゆっくりと忍び寄って次第に夜の闇が垂れこめてくる時の間を、休むことなく乗り続けました。ようやく馬を止めて降りた時には、アラゴルンでさえ体がこわばって疲れを覚えるほどでした。それでもガンダルフはわずか二、三時間の休息を許しただけでした。レゴラスとギムリは眠りました。アラゴルンは仰向けに長々と体を伸ばして横になりました。しかしガンダルフは立ったまま、杖に寄りかかり、東の方《かた》、西の方《かた》の暗闇にじっと目を凝らしました。あたりはすっかり静まりかえり、生きているものの気配もなく、音も聞かれませんでした。みんなが起き出した時には、幾条《いくすじ》もの長い雲が夜空に走り、冷たい風に運ばれて流れていました。寒々とした月の下を、まるで昼の光の中を行くように速やかに、かれらは道を続けました。

こうして何時間か経ち、かれらはなおも乗り続けました。ギムリは乗りながら転寝《うたたね》をして、ガンダルフがしっかりと摑まえて揺り起こさなければ、落っこちてしまったでしょう。ハスフェルとアロドは疲れてはいても誇らしげに、自分たちの前を灰色の影のようにほとんど姿も見分け難く走って行く、疲れを知らぬ先導者のあとに従いました。何マイルが過ぎたでしょうか。満ち始めた月が雲の多い西空に沈んでいきました。

大気には身を切る冷気が加わりました。ゆっくりと東の方に暗闇がうすれてゆき、寒々しい灰色に変わりました。遥か左手に黒々と壁なして切り立つエミン・ムイルの山並みの上に、赤い光の箭《や》が突如躍り出ました。曇りなく明るい夜明けが訪れたのです。一行の進む道を一陣の風が吹き渡り、草をなびかせました。突然、飛蔭《とびかげ》はぴたりと立ち止まって嘶《いなな》きました。ガンダルフが前方を指さしました。

「そら！」と、かれは叫びました。みんなは疲れた目をあげました。一行の前には南の国の山脈がそそり立っていました。白雪を頂き、黒いすじをつけた山脈でした。茫々《ぼうぼう》たる草原は起伏しながら山脈の麓《ふもと》に連なる丘陵に迫り、まだ暁の光も射さぬ、多くの小暗い谷間に入り込み、さらにその谷間を縫うようにして大山脈の中心部にまで達していました。旅人たちのすぐ前には、このような峡谷の中でも一番広い谷間が、丘陵の中に長く突き出た入江のように開けていました。そのずっと奥の方にごちゃごちゃ重なりあった山塊があり、高い峰がただ一つ聳《そび》えていました。谷間の入口には歩哨のようにぽつんと丘が一つ立っていて、丘の麓には谷から流れ出た水が銀の糸のように流れていました。またこの丘の山の端《は》には、上る朝日にきらめく金色の光るものが、はるかに認められました。

「いってくれ、レゴラス！」と、ガンダルフがいいました。「あそこに何が見えるか教えてくれ！」

レゴラスは前方に目を凝らしました。水平に射してくる朝日の光の箭《や》を防ぐために目に手をかざしながら。「山頂の雪から流れ落ちる白い流れが見えます。」と、かれはいいました。「かげっている谷間からその水が流れ出るあたり、東の方に緑の丘が一つ立っています。堀と巨大な城壁と棘《とげ》ある生け垣がその丘を取り囲んでいます。その中には家々の甍《いらか》が聳え、真ん中には緑の段地《テラス》の上に人間の王の大きな館《やかた》が天高く聳え立っています。わたしの目には、屋根が黄金で葺《ふ》いてあるように見えますね。その光は一帯に輝き渡っていますよ。館の各入口の柱もまた黄金色をしています。そこに輝く鎧《よろい》をつけた人間たちが立っています。しかしかれらを除くと宮殿内はまだすっかり寝静まってますね。」

「あの一群の宮殿がエドラスと呼ばれている。」と、ガンダルフはいいました。「そしてメドゥセルドというのはあの黄金《こがね》の館《やかた》のことじゃ。あそこに、ローハンのマークの王、センゲルの息子、セオデンが住まっている。わしらは日の出とともにやって来た。今、道はわしらの前に目にも著《しる》くのびている。だが今まで以上に用心深く馬を進めねばならぬ。なぜなら、今や戦いが広まり、騎馬の民、ロヒアリムは遠目には眠っているように見えても眠ってはおらんからな。あんた方に注意しておくが、セオデンの王座の前に行くまでは、剣を抜くことも、不遜な言葉を吐くこともならぬぞ。」

旅人たちが流れに達する頃には、朝は明るく冴え冴えと明けわたり、鳥たちが歌っていました。谷から流れ出た水は急流となって平野部に流れ込み、連なった丘陵の麓《ふもと》を過ぎて、大きく湾曲すると、一行の進む道を横切って東に流れ去り、流れをせきとめるばかりに葦の茂った川床を通って、エント川に注いでいます。土地は緑で、湿った草地や草の生えた流れのふちに沿って、たくさんの柳の木が生えていました。この南の国では、早くも春のおとずれを感じ取ったかのように、梢の先がもう赤らみかけていました。川には一個所浅瀬があり、それを挟んで馬の往来《ゆきき》で踏み固められた低い土手がありました。旅人たちは浅瀬を渡り、轍《わだち》の跡のついた広い道のある所に出ました。道は丘に続いていていました。

城壁に囲まれた丘の麓で、道はたくさんの高い緑の塚山の影の下を通っていました。それらの塚山はどれも西側が雪の吹きだまりのように白くなっていました。小さな花が無数の星のように芝草の間から咲き出ているためでした。

「ご覧！」と、ガンダルフがいいました。「明るい瞳のように芝に咲く花のなんと美しいことじゃろう！　この花は忘れじ草、この人間の国ではシンベルミネと呼ばれておる。何故ならこの花は四季を通じて咲き、死者の奥津城《おくつき》どころに育つからじゃ。見よ！　わしらは今、セオデンの父祖たちの眠る陵墓《りょうぼ》のある所に来た。」

「左側に七つの塚、右側には九つの塚。」と、アラゴルンがいいました。「黄金《こがね》の館《やかた》が建造されて以来、人の世の何代もの時が経ったわけですね。」

「その時からわが故郷《ふるさと》の闇の森では木の葉が五百回紅葉して落ちたことになりますよ。」と、レゴラスがいいました。「われらにとってはそれも束《つか》の間《ま》としか思えませんが。」

「だがマークの騎士たちには、随分昔のことに思われよう。」と、アラゴルンがいいました。「それ故この王家の建立《こんりゅう》も歌に留められた記憶に過ぎず、それ以前のことは縹渺《ひょうびょう》たる時のかなたに没し去っています。今ではかれらはこの土地を故国と呼び、自分たちのものといっていて、かれらの言葉は北方のかれらの一族から分かれてしまっていますよ。」そこでかれはエルフにもドワーフにもわからぬゆっくりした言葉でそっと歌い出しました。二人はわからないなりに耳を傾けました。音の美しさが強く感じられたからでした。

「それはロヒアリムの言葉でしょう？」と、レゴラスがいいました。「何故って、この土地自身に似ていますからね。豊かで起伏があるかと思えば、ここの山脈のように厳しくいかめしい。だけど、わたしには何をいっているか意味がわかりませんね。ただこの歌には死すべき定めの人間の悲しみがいっぱいに盛られているということだけはわかりますがね。」

「共通語でいえばこうなる。」と、アラゴルンがいいました。「わたしに可能な限り忠実に直したのだが。

あの馬と乗手とは、何処へいった？　吹きならされた角笛《つのぶえ》はいまどこに？
兜《かぶと》と鎧《よろい》かたびらは、風になびいた明るい髪の毛は、どこに？

竪琴をかなでた指は、赤く燃えた炉辺の火は？
春はどこに？　稔りの時と丈高く熟れた穀物は、どこへいったか？
すべては過ぎていった、山に降る雨のように、草原を吹く風のように。
過ぎた日々は、西の方に、影を負う山々のうしろに落ちてしまった。
燃えつきた焚木《たきぎ》の煙を集める者があろうか？
流れ去った年月の海から戻るのを見る者があろうか？

今は忘れられた詩人が、ずっと昔ローハンでこう歌った。北の国から馬に乗って下ってきた青年王エオルがいかに丈高く、美しかったかを思い起こしながら歌ったものだ。かれの乗馬、馬たちの祖ともいうべきフェラロフの足には翼がついていた。夕暮れ時に人々は今なおそう歌っている。」

こう話しているうちに旅人たちは静まった塚山を通り過ぎました。曲がりくねった道について緑の山の肩を登って行くと、ようやく吹きさらしの長い城壁と、エドラスの城門のある所に出ました。

そこには輝く鎧《よろい》を着けたたくさんの人が坐っていました。かれらはさっと立ち上がると槍《やり》を突き出して一行の行く手を遮りました。「止まれ、見知らぬ方々よ！」かれらはこの国の言葉でこう叫ぶと、よそ者たちに名前と用件をいうように要求しました。目には一様に怪しむ色が浮かんでいて、好意はほとんど見られませんでした。そしてかれらは敵意のある目をガンダルフに向けました。

「わしはあなた方の言葉をよく知っておる。」ガンダルフはかれらと同じ言葉で答えました。「だが、よそから来た者はほとんど知らぬ。しかるに、あなた方は、答えよとあるならば、何故西の国々の仕来《しきた》り通り共通語で話されぬのかな？」

「われらの言葉を知り、われらの味方である者を除いては、何者もこの門をはいってはならぬというセオデン王の御意《ぎょい》なのだ。」門衛の一人が答えました。「戦時にあっては、わが国民《くにたみ》およびゴンドールの地のムンドブルグより来る者を除いては何者もこの地で歓迎されない。そのような見慣れぬ服装をし、われら自身の馬によく似た馬に乗り、平然と平原を渡って来るとは、そも何者だ？　われらはもう大分前からここで見張りを勤めている。御一同がまだ遠くにいる時からずっと注意していたのだ。これほど奇妙な乗手たちをわれらは見たことがないし、乗馬たちの一頭ほど堂々たる馬は見たことがない。われらの目が何かの妖術でたぶらかされているのでなければ、かれはメアラス族の一頭だ。申せ、そなたは魔法使ではないのか？　サルマンのよこした間者《かんじゃ》ではないか？　それともサルマンの妖術が生み出した幻影か？　さあ、とっとと申せ！」

「われらは幻影ではない。」と、アラゴルンがいいました。「またあなた方の目があなた方をたぶらかしたわけでもない。何故ならわれらの乗っているこの馬たちはたしかにあなた方の馬だからだ。そのことはたずねられる前から十分ご承知のことと思うが。しかし盗人《ぬすっと》というのは滅多に盗んだ馬に乗ってもとの厩《うまや》に戻っては来ぬもの。これなる馬はハスフェルにアロド、マークの第三軍団軍団長エオメル殿がほんの二日前われらに貸し与えられたものだ。エオメル殿にお約束申し上げた通り、われらは今それをお返しに参った。それではエオメル殿はお帰りになってはおられぬのか？　われらが来るという予告はなかったのか？」

門衛の目に困惑の色が浮かびました。「エオメル様のことは何も申し上げられない。」と、かれは答えました。「御一同のいうことが真《まこと》であれば、セオデン王はまちがいなくそのことをお聞きおよびであろう。御一同の到着はまったく予期しないことではないのかもしれぬ。ほんの二日前の夜のこと、蛇の舌がわれらの所に参って、セオデン王の御意により、一切のよそ者をこの門の中に入れぬよう申したのだ。」

「蛇の舌が？」ガンダルフはきっと門番を見据えました。「もうそれ以上聞かずともよい！　わしは蛇の舌に用があるのではない。マークの君主その人に用があるのじゃ。わしは急いでおる。わしらが参ったことを伝えに行ってくれぬか？　それともだれかを使いにやってくれ。」かれは秀でた眉の下の目をぎらっと光らせ、門衛の男にじっと目を注ぎました。

「では、参ろう。」かれはのろのろと答えました。「しかし名前を何とご報告申し上げればいいのか？　そしてお手前のことを何とお話し申し上げればいいのか？　お手前は表面疲れた老人のごとくだが、一皮下は冷酷無惨と見たが。」

「あんたの見た通り、話した通りじゃ。」と、魔法使はいいました。「すなわち、わしはガンダルフじゃからな。わしは戻って来た。見るがよい！　わしもまた馬を連れ戻ったぞ。これなるが名馬飛蔭《とびかげ》、余人の手ではいうことを利《き》かぬ。そしてわしの横におるのは、古《いにしえ》の王たちの世継、アラソルンの息子アラゴルン。かれの目指す地はムンドブルグじゃ。また、これなるは、われらの同志、エルフのレゴラスに、ドワーフのギムリ。ではあんたの主人の許に行き、われらが城門まで来ておること、もしかれの居城にはいることを許されれば、お話し申し上げたい事のある旨、伝えられよ。」

「さても耳なれぬおかしな名ばかりを挙げられるものかな！　だが、お手前のいわれる通りご報告申し上げて、わが君のご意向を伺おう。」と、門衛はいいました。「ここでしばらくお待ちあれ。わが君のご都合を伺って参るから。あまり多くを期待なさるな！　暗い時代だから。」かれは急いで立ち去りました。あとに残された旅人たちはかれの仲間の衛士たちに油断なく見張られていました。

しばらく経ってからかれは戻って来ました。「あとについておいでなされ！」と、かれはいいました。「セオデンが入城を許可された。だが、身に帯びておいでの武器は何なりと、たとえただの杖であれ、入口に置いて行かれねばならぬ。入口に立つ衛士がそれをお預かり致す。」

城門の黒っぽい扉が勢いよく開《あ》けられました。旅人たちは中にはいり、案内人の後について一列に歩いて行きました。切石で舗装《ほそう》された広い道を過ぎ、折れ曲がった坂を登り、整然と築かれた短い階段を登って行きました。木造のたくさんの家々と、暗い戸口をいくつも通り過ぎました。道のわきには石造りの溝があり、きれいな水が泡立ちさざめきながら流れていました。ようやく一行は丘の頂にやって来ました。緑の段地の上には高い台地がありました。段地の下には馬の頭に似せた石の彫り物からきらきらと水の溢れ出る泉がありました。その下には口の広い水盤が置かれ、そこからこぼれ出る水が小川になって流れ落ちていました。緑の段地には高くて幅の広い石の階段がついていて、最上段の両側に石を切り出した腰掛けがありました。そこにはまた別の衛士たちが、抜身の刀を膝《ひざ》の上に置いたまますわっていました。かれらの金髪は肩の上で編まれ、緑の盾には陽光が燦《さん》ときらめき、長い胴鎧《どうよろい》はぴかぴかに磨かれていました。かれらが立ち上がると、その背丈は尋常の人間よりずっと高いように見えました。

「入口はお手前方の前にある。」と、案内人はいいました。「わたしは城門での任務に戻らねばならぬ。ご機嫌よう！　どうかマークの王が御一同に優渥《ゆうあく》であらせられるように！」

かれは踵《くびす》を返すと、そそくさと道を下って行きました。あとの三人は背の高い衛士たちに監視されながら、長い階段を登って行きました。衛士たちは、ガンダルフが階段の上の敷石を敷いた台地に足を踏み出すまで、黙って高い所に立ったまま、一言も口を利かないでいましたが、その時突然朗々たる声で丁重な挨拶の言葉を自分たちの言葉で申し述べました。

「ようこそ、遠来の客人よ！」かれらはそういって平和の印に自分たちの剣の柄《つか》を旅人たちの方に向けました。緑の宝石が陽の光を受けて光りました。それから衛士たちの一人が前に進み出て、共通語でしゃべりました。

「わたしはセオデン王の近衛隊長で、ハマと申す者。」と、かれはいいました。「中にはいられる前に、武器をここに置いていかれるように申し上げることになっています。」

そこで、レゴラスが銀の握りのついた短剣と矢筒と弓を、かれの手に預けました。「しかと預かってくれ給え。」と、かれはいいました。「これはみな黄金の森から来た品々、ロスロリアンの奥方から頂戴したものなのだから。」

男の目には驚きの色が浮かびました。そしてまるで手で触れるのを恐れるように、あわててそれらの武器を壁際に置きました。「だれ一人手を触れるものはありませぬ。お約束いたします。」と、かれはいいました。

アラゴルンはしばらく躊躇していました。「わが剣を外し、余人の手にアンドゥリルを引渡すことは、わが意ではないのだが。」と、かれはいいました。

「セオデンの御意にございます故。」

「たとえマークの王とはいえ、センゲルの息子、セオデンの意向が、ゴンドールのエレンディルの世継、アラソルンの息子アラゴルンの意に先行するとは、解《げ》し難いところだ。」

「ここはセオデンの宮殿であり、アラゴルン殿のものではありませぬ。たとえアラゴルン殿がゴンドールの王にしてデネソール殿の御座にすわられようとも。」ハマはそういうとたちまち入口の前に進み出て、行く手を遮りました。かれの剣は今ではかれの手に握られ、切先《きっさき》が客たちに向けられていました。

「そんな問答は無用じゃ。」と、ガンダルフがいいました。「セオデン殿の要求は筋が通らぬ。しかし拒否しても無駄なこと。王というものは、おのが城館ではなすがままじゃ、愚かしいことにせよ、賢いことにせよ。」

「いかにも。」と、アラゴルンがいいました。「わたしとて、今所持している剣がアンドゥリル以外のものであれば、たとえここがただの木こり小屋であろうと、この家の主人のいわれる通りにしましょうが。」

「その剣の名前が何でありましょうとも」と、ハマがいいました。「ここにお置きいただきたい。あなたお一人でエドラスの人間全部を相手に戦われるおつもりでなければ。」

「一人ではないぞ！」ギムリがこういって、斧の刃をまさぐりながら、まるでこの男がかれの伐りたいと思っている若木であるかのように、薄気味悪い目で見上げました。「一人ではないぞ！」

「まあ、まあ！」と、ガンダルフがいいました。「ここでは皆味方なのじゃ。ともかくそうであるべきじゃ。わしらが互いに争えば、モルドールの嘲笑のみが酬いとなろうぞ。わが用件は急を要する。ハマ君よ、ともかくわしの剣だけはお渡ししよう。しかと預かってくだされ。グラムドリングと呼ぶ剣じゃ。遠い昔エルフの作った名剣じゃ。では通してくれ。さあ、アラゴルンよ！」

アラゴルンはのろのろと帯皮の締金を外し、自分で剣を壁に立てかけました。「ここに置くぞ。」と、かれはいいました。「だがあんたにいっておく。これにさわってはならぬ。また何人《なんぴと》たりと、これに手を触れさせてはならぬ。このエルフの鞘《さや》の中にはかつて折れふたたび鋳直された刃がある。久遠の昔、テルハールが初めてこれを作った。エレンディルの世継を除く何人たりと、エレンディルの剣を抜く者には死が訪れるだろう。」

衛士は後ずさりして、驚きの眼《まなこ》でアラゴルンを打ち眺めました。「あなたはまるで歌の翼に乗り、忘れられた遠い過去から現われ出ていらしたかのようです。」と、かれはいいました。「殿よ、ご命令の通りにします。」

「では、」と、ギムリがいいました。「アンドゥリルが仲間なら、わたしの斧もここに置かれて面目を失うことにはなるまいな。」こういってかれは斧を床の上に置きました。「ではこれで何もいうことがないのなら、われわれをあんたのご主人と話をしに行かせてくれ。」

衛士はまだ躊《ため》らっていました。「あなたのお杖を。」と、かれはガンダルフにいいました。「申し訳ありませんが、それも入口に置いていただかねばならぬのです。」

「何をばかな!」と、ガンダルフはいいました。「用心と非礼とはちがうぞ。わしは老人じゃ。もし杖にすがって行くことを許されぬのなら、わしはここにじっとすわって、セオデンがわしと話すために自分のほうからよろぼい出て来る気になるまで待っておるぞ。」

アラゴルンは笑いました。「だれにでも、他人には委せられないほど大事なものがあるようですな。だが、あんたは老人から杖を離そうというのか？　さあ、われらを中に入れてはくれぬのか？」

「魔法使の手の中にある杖は老齢の支え以上のものかもしれませぬ。」と、ハマがいいました。かれはガンダルフが凭《もた》れているとねりこの杖にじっと目を向けました。「しかし、迷う時こそ、一かどの人間はおのれ本来の分別に頼るもの。わたしはあなた方が味方であり、邪《よこしま》な意図を持たぬ名誉に値いする方々であると信じています。おはいりになってかまいません。」

衛士たちは扉についている重い閂《かんぬき》を持ち上げ、大きな蝶番《ちょうつがい》を軋《きし》ませながら、ゆっくりと扉を内側に開いていきました。旅人たちは中にはいりました。内部は暗く、丘の上の澄んだ空気のあとでは生暖かく感じられました。広間は奥行きが深く間口も広く、暗がりと薄明かりがあたりを充たしていました。巨大な柱が高い天井を支えています。しかし深い軒《のき》の下の東側の高窓からは、明るい日光が明滅する光の箭《や》をここかしこに落としていました。屋根にあけた天窓の向こうには、煙出しから細く立昇る幾条《いくすじ》かの煙のかなたに薄青く空が見えました。目を転じた旅人たちは、床がさまざまな色の石で、敷きつめられているのに気がつきました。いくつもの枝に分かれたルーン文字や見慣れぬ図柄が足許で互いにからみ合っていました。次に一同は柱という柱がどれもふんだんに彫り物が施され、金色にそしてまたおぼろにしか見えぬ様々な色合いに鈍く光っているのを見ました。壁には織った布がいくつもかけられ、その広い面には古い伝説上の人物たちが、或る者は年月に色褪《あ》せ、或る者は暗がりにぼんやりと居並《いなら》んでいました。その人物たちの一つにたまたま日の光が当たっていました。白い馬に乗った若い男の姿で、大きな角笛《つのぶえ》を吹き鳴らし、黄色い髪を風になびかせています。馬は頭を高く擡《もた》げ、はるかな戦いの匂いを嗅ぎつけたかのように鼻孔を赤く大きく開いて嘶《いなな》いています。馬の膝《ひざ》のあたりには緑に白に泡立つ水がさかまき流れていました。

「やあ、青年王エオルだ！」と、アラゴルンがいいました。「こうしてかれは北の国からケレブラントの野の戦いに馬を乗り進めて来たのだ。」

さて、四人はなおも前に進み、広間の真ん中に赤々と薪の火の燃える長い煖炉のわきを通り過ぎ、それから立ち止まりました。煖炉の先の広間の一番奥に、入口の方、北に面して、三段の踏段のついた壇があり、壇の真ん中には金色に塗られた大きな椅子がありました。椅子には老齢のためにドワーフとも見紛うぐらい背中の曲がった老人が坐っていました。白い髪は長く豊かで、幾条にも太く編まれて、額の上にはめられた薄い金の王冠の下から垂れていました。額の真ん中にはたった一つ白いダイヤモンドが光っています。顎鬚《あごひげ》が雪のように膝《ひざ》にかかっていました。しかしその目はいまだに炯々《けいけい》たる光を失わず、客人たちを見すえる際にきらりと光りました。椅子の後ろには白い衣裳を着た婦人が立っていました。また足許には賢人めいた青白い顔に瞼の重たくかぶさる目をした、しなびた男が一人、踏段に腰を下ろしていました。

だれも口を利《き》きません。老人は椅子に坐ったまま身動きもしません。ようやくガンダルフが口を開きました。「ご機嫌よろしう、センゲルの子、セオデン殿よ！　わしは戻って来ましたぞ。何故なら、見られよ！　嵐が来ようとしています。今こそ味方という味方は個別に撃破されぬよう、ともに力を合わすべき時ですぞ。」

老人はゆっくりと立ち上がり、白い骨でできた柄《え》のついた短い黒い杖にどっしりと寄りかかりました。そこで客たちは、たとえ腰が曲がっているとはいえ、かれがいまだに丈高く、若い頃はさぞ堂々とした偉丈夫であったにちがいないことを見てとりました。

「久しぶりよの、」と、かれはいいました。「それであんたは多分歓迎の言葉を求めていられような。だが、ガンダルフ殿、実を申すとこの地での歓迎はおぼつかないぞ。あんたはいつも禍《わざわい》の先触《さきぶれ》を勤めてきたからの。あんたの後にはまるでからすの群れのように厄介事がついてまわる。それも来訪が度重なるほど、事態はますます悪くなるのじゃ。言葉を飾らずにいおう。予は飛蔭《とびかげ》が鞍を空にして戻って来たと聞いた時、馬が帰ったことを喜んだ。だがそれ以上に乗手が一緒でないことを喜んだのじゃ。そしてあんたがついに永遠の国に旅立ったという知らせをエオメルがもたらした時にも、予は歎かなかった。だが遠方からの便りは当てにならぬもの。あんたはまたこうしてやって来たではないか！　そして案の定《じょう》あんたとともに以前よりさらにひどい不幸が訪れた。なんで予があんたを歓迎せねばならぬのかな、疫病神《やくびょうがみ》、ガンダルフよ？　教えてもらいたいのう。」かれはふたたびゆっくりと椅子に腰を下ろしました。

「殿よ、まこと仰せの通りにございます。」踏段に坐っている青白い顔の男がいいました。「若君セオドレド殿が西境《さいきょう》で討ち死に遊ばされたという悲報が届いてよりまだ五日も経ちませぬ。殿が右腕とも頼まれる第二軍団軍団長であられた方です。エオメル殿ではあまりご信任を置かれるわけにもいきますまい。あの方が統治を許されるようなことになりますれば、城の守りにつくべく居残る者もほとんどありますまい。そのうえなお東では冥王が動きだしたとゴンドールから知らせが参ったばかりではございませぬか。この放浪者が好きこのんでやって来るのはこういう時なのでございますぞ。疫病神殿よ、なんでわれわれがあんたを歓迎せねばならぬのかな。ひとつあんたのことをラススペルとお呼びしよう。つまり凶報ということですな。凶報は悪い客と俗に申すではございませぬか。」かれは薄気味悪い笑い声を立てながら、ちらと重い瞼を上げ、悪意のある目をじっと旅人たちに注ぎました。

「蛇の舌殿、あんたは賢人とみなされておる。そしてご主君にとっては確かにおおいに頼りになる存在であられよう。」ガンダルフは穏かな声でいいました。「だが凶報をもたらす者といっても、それには二通りある。もたらす者自身が凶事《まがごと》を行なう場合と、順調な時にはただ遠くから見守り、逆境にのみ助けを与えにやって来る者の場合とな。」

「その通りですな。」と、蛇の舌はいいました。「だがもう一つあります。落穂拾いに火事泥棒、他人の不幸に差出口する輩《やから》、戦争毎《ごと》に肥え太る腐肉あさりの鳥ども、ですよ。疫病神よ、あんたは今迄どんな助けをわれわれにもたらしてくれましたかな？　して、今度はどんな助けをもたらしてくれるおつもりかな？　前回こちらにお見えになった時、お求めになったのはわれわれから援助を引き出すことでござりましたな。そこでわが殿はあんたにどれなりと欲しい馬を選んでとっとと行くようにお命じになりました。するとあんたは不遜にも飛蔭《とびかげ》を選んでみんなを唖然とさせましたな。わが殿はひどく歎かれた。それでもこれであんたをこの国から厄介払いできるのなら、そう高い犠牲でもないと考える者もおりましたがね。わたしの推量では、今回もまた同じことになりそうですな。あんたは援助を与えるのではなくて、求めにいらしたのでしょう。兵たちを引連れておいでですかな？　馬や剣や槍《やり》を持って来てくださいましたかな？　そういうことであれば、これを援助と呼んでよろしい。それこそ現在われわれが必要としておるものですからな。ところが、あんたの後ろについてみえたこの方々はなんなんです？　灰色のぼろを着た三人の放浪者じゃないですか。そしてあんたご自身は四人の中でも一番乞食じみて見えますわい！」

「センゲルの息子セオデン殿、当宮廷の礼儀は最近いささか減じましたな。」と、ガンダルフがいいました。「城門からの使者がわが友人たちの名前を申しあげませんでしたかな？　代々のローハンの君主でも、三人のかかる客人を迎えたことは滅多にありませぬぞ。武器はみな入口に置いて参ったが、それらの武器は多数《あまた》の人間たち、その中でも最も強大なる者たちにさえ匹敵すべき値打ちのものばかりです。たしかにかれらの身なりは灰色じゃ。エルフが着せてくれた衣服じゃでの。おかげでかれらは数々の大きな危険をくぐり脱け、この宮殿にやって来られた次第。」

「それでは、エオメル殿の報告通り、あなた方が黄金の森の女妖術師と気脈を通じているというのは真《まこと》なのですな？」と、蛇の舌がいいました。「それも驚くには当たらぬこと。ドウィモルデーネではいつだって惑わしの網が織られておったわけですからな。」

ギムリが一歩前に進み出ました。しかしガンダルフの手が不意にその肩をしっかと押さえましたので、かれは立ち止まったまま、石のように身を固くして立っていました。

ドウィモルデーネに、ロリアンに、
人間の足跡の印されることは稀だった。
かしこに長く明るくただよう光を
生命短い人の目に見たためしは少ない。
ガラドリエルよ！　ガラドリエル！
あなたの泉の水は澄みわたり、
あなたの白い手の星は白い。
ドウィモルデーネに、ロリアンに、
木の葉と土地は汚れず、損《そこな》われず、
生命短い人間の思いをこえて美しい。

（訳註　ドウィモルデーネはまぼろしの谷を意味するローハン語で、ロリアンをさす。）

ガンダルフは低い声でこう歌うと、今度はがらりと態度を変えました。ぼろぼろのマントをさっと脱ぎ棄て、杖にも寄らずすっくと立って、はっきりした冷たい声で話しました。

「ガルモドの息子、グリマよ。賢者とは、自分の知りぬいたことだけを話すものよ。きさまは愚かな長虫になり果てたのう。ならば口をつぐみ、その蛇の舌を歯の後ろにひっこめておるがよい。わしは雷が落ちるまで下僕如きと不実な言葉をやりとりしようがために、火と黄泉《よみじ》をくぐり抜けて来たのではないわ。」

かれは杖をあげました。雷鳴がとどろき、東の窓から射し込んでいた日光は拭《ぬぐ》ったようにかき消えました。広間の中は突如として夜のように暗くなりました。煖炉の火も消えかけ、ぶすぶすとくすぶりました。見えるものは黒くなった煖炉の前に白一色で高々と立ったガンダルフの姿だけでした。

暗がりから蛇の舌の怒った声が聞こえてきました。「殿よ、あの者に杖を持ち込ませぬようにとご進言申し上げませんでしたか？　あのハマの馬鹿が裏切りおったのでございますぞ！」すると屋根を裂いて稲妻が走ったように閃光がひらめきました。そしてあとはしんと静まりました。蛇の舌はだらしなくはいつくばりました。

「さて、センゲルの息子、セオデン殿、わしがこれからお話しすることをお聞きになりますかな？」と、ガンダルフがいいました。「殿は助けをお求めかな？」かれは杖をかかげて、高窓を指し示しました。窓の向こうの暗い空は晴れかけているように見えました。そして晴れ間を通してはるかに高く遠く一片の照り輝く空が見えました。「すべてが暗いわけではありませぬぞ。マークの王よ、勇気をお出しなされ。これ以上の助けは見いだそうにもかないませぬ。わしは絶望する者に与える忠言は持たぬが、忠言を与えることができるし、殿に申し上ぐべきこともある。殿はそれをお聞きになりますかな？　これはたれかれかまわず聞かせることではない。わしは殿に入口の前に出て来られ、外界をご覧になるように申し上げる。殿はあまりにも長く暗がりに坐し、真実を歪めた話や、正しからざる後見の言葉に頼ってこられた。」

セオデンはのろのろと椅子を離れました。広間の中はまたかすかに明るくなってきました。婦人は急いで王のそばに近づき、王の腕を取りました。老人はよろめく足で壇を降りると、静かに広間を通り抜けて行きました。蛇の舌は床にうつぶせたままでした。一同は入口までやって来ました。ガンダルフが扉を敲《たた》きました。

「開けろ！」と、かれは叫びました。「マークの王のお出ましじゃ！」

扉が後ろに開け放たれ、身に沁むような風が唸りをあげて吹き込んできました。風がまともに丘に吹きつけていたのです。

「衛士たちを階段の下まで遠ざけていただきたい。」と、ガンダルフはいいました。「それからご婦人、しばらく殿をわしにお預けくだされ。わしが気をつけてさしあげますから。」

「行ってよろしい、わが妹の娘、エオウィンよ！」と、老王はいいました。「恐れる時は去った。」

婦人は背を向け、ゆっくりと建物の中にはいって行きました。入口をはいる時、かの女は振り向いて後ろを見返りました。静かな憐れみの色を目に浮かべて王を眺めるそのまなざしは沈痛で思慮深げでした。その顔は際立って美しく、長い髪は金色の川のようでした。銀の帯を腰に締めた白い長衣のその姿は背が高くほっそりしていましたが、けっして弱々しくは見えず、鋼《はがね》のように強固な王家の娘と見えました。こういうわけで、アラゴルンはこの時初めてローハンの姫君、エオウィンを明るい外の光の中で見たのです。かれはエオウィンを美しいと思いました。そしてその美しさはまだ女にはなりきっていない、早春の朝のような冷ややかな美しさであると思いました。そしてエオウィンもまた不意にかれの存在に気づきました。丈高い王家の世継は幾星霜もの長い人生に培われた英知に溢れ、灰色のマントをまとい、かの女にも感じ取ることのできる隠れた力を内に秘めていました。かの女はちょっとの間石のように身動きもせず立ちつくしていましたが、やがてくるっと背を向けて中に消え去りました。

「さて、殿よ、」と、ガンダルフがいいました。「ご領地を見晴らしたまえ！　外の空気をふたたび吸ってごらんなされ！」

高い段地のてっぺんの台地から眺めると、流れの向こうはローハンの緑の草原が遠く灰色にかすむまでどこまでも広がっているのが見えました。篠《しの》つく雨が斜めに吹きつけてきます。頭上から西の方にかけて、空は雷雲のためにまだ暗く、遥か遠くでは、隠れて見えぬ山々の頂のあたりに稲妻が閃めいていました。しかし風はすでに北に変わり、東からやってきた嵐ははや遠ざかり始め、南の海の方へと去っていくところでした。突然かれらの後方の雲の裂け間から日光が一条、箭《や》のように射してきました。驟雨《しゅうう》が銀のようにきらめき、はるか遠くの川は光る鏡のようにきらきらと輝きました。

「ここはそう暗くはない。」と、セオデンがいいました。

「その通り、」と、ガンダルフがいいました。「それに一部の者から思いこまされておいでの程、老齢が殿の肩に重くのしかかっているわけでもないのです。その突かい棒をお捨てなされ！」

王の手から黒い杖が音を立てて敷石の上に落ちました。王は長い間屈《かが》み込んで退屈な仕事をしたためにすっかり体がこわばってしまった人のように、ゆっくりと体を伸ばしました。今や王は背を真っ直にして立ち、その背丈は高く堂々と、雲の切れ始めた空をじっと見る目は青く澄んでいました。

「予が近頃見る夢は暗い夢ばかりであった。」と、かれはいいました。「だが今は新たに目覚めた者のような感じじゃ。ガンダルフよ、あんたがもっと前に来てくれればよかったと思うぞ。と申すのは、こうしてあんたが来てくれてももう遅過ぎるのではないか、わが王国の最後の日を見ることに終わるのではないかと恐れるからじゃ。エオルの息子ブレゴの築いたこの高い城館ももう長くはもつまい。戦火が王座を舐《な》め尽くすじゃろう。今となっては何をなすことができよう？」

「たくさんのことを。」と、ガンダルフがいいました。「しかし、先ずエオメル殿をお呼びくだされ。殿は、殿以外のすべての者から蛇の舌と呼ばれておるグリマのいうことを聞かれて、エオメル殿を牢にお入れになったというわしの推測は当たってませんかな？」

「その通りじゃ。」と、セオデンがいいました。「あれは予の命《めい》にそむきおった上に、わが殿中で、グリマを殺すとおどしおった。」

「殿を愛する者も、蛇の舌とその申すことは愛さぬでしょうぞ。」と、ガンダルフがいいました。

「それはそうかもしれぬ。あんたのいわれる通りにしよう。ハマを呼んでいただきたい。衛士としては当てにならないことがわかったから、走り使いをさせよう。罪有る者に罪有る者を連れて来させて判決を受けさせるのじゃ。」と、セオデンがいいました。それは厳しい声でした。それでもかれはガンダルフを見て微笑しました。その微笑とともに、心配から生じたたくさんの皺《しわ》がとれて、滑らかな皮膚にはもう皺は戻ってきませんでした。

ハマが呼び出され、そして退出したあと、ガンダルフはセオデンを石の腰掛けに案内し、自分は階段の一番上に王と向かい合って坐りました。アラゴルンとその二人の連れはすぐ近くに立っていました。

「殿が聞いておかれるべきことを全部お話しする時間はとてもありませぬが、」と、ガンダルフがいいました。「もしわしの望みが虚妄でなければ、もっと十分にお話しできる時が遠からず参ろう。見られよ！　殿は今や大きな危険の中におられる。奸智に長《た》けた蛇の舌が殿の夢の中に織りこむことのできたいかなる危険もこれほど大きくはないのです。だが、それ！　もはや夢を見てはおられぬ。殿は生きておいでじゃ。ゴンドールもローハンも孤立してはおらぬ。敵はわしらの思い及ばぬほど強大だが、それでもわしらには敵がまだ考え当てていない希望が存在するのです。」

ガンダルフはどんどん早口で話し出しました。かれの声は低くひそやかで、王を除いては誰にもかれのいっていることは聞こえませんでした。しかしかれが話し進むにつれて、セオデンの目の光はますます明るくなり、しまいにはすっくと椅子から立ち上がりました。ガンダルフもセオデンと並んで立ち、二人はともにこの高所から東の方を眺め渡しました。

「げに、」ガンダルフは今度は声を大きくしていいました。鋭いはっきりした声でした。「あの方向にこそわしらの望みはある。してまた最大の懸念も。運命は依然として一筋の糸にかかっております。しかしまだ望みはありますぞ、いましばらくわしらが征服されずに持ちこたえることができさえすれば。」

あとの三人もその目をともに東に向けました。どこまでもどこまでも続く大地をへだてたかなたをかれらは目路《めじ》の限り遥かにみつめましたが、望みと恐れはかれらの思いをさらに運んで暗い山々を越え、影の国まで運ぶのでした。指輪所持者は今どこにいるのでしょう？　運命が今なおかかっている糸の本当に何と細いことでしょうか？　遠くを見ることのできるその目をじっと凝らしていたレゴラスは、きらりと白いものが光るのを見たように思いました。それはもしかしたらはるかに遠く守護の塔の尖塔に太陽の光が当たってきらめいたのかもしれません。そしてそれよりもなお遠く、果てしないほど遠方に、それでいて現実の脅威として、かすかな焔《ほのお》の舌が在《あ》るのでした。

セオデンはのろのろとふたたび腰を下ろしました。あたかも今なお疲労がガンダルフの意志に逆ってかれを支配しようと懸命になっているかのようでした。かれは振り向いて、自分の立派な王宮を眺めました。「ああ、なんたること！」と、かれはいいました。「このような災いの時がわが治世に訪れるとは、それも予が当然受けて然るべき平和の日々に代わってわが老年に訪れるとは。痛ましいかな、勇士ボロミアの死よ！　若者が死に、老人がほそぼそと生きのびておるのか。」かれは皺だらけの手で自分の膝《ひざ》をぐいと摑みました。

「殿がその手に剣の柄《つか》を握られれば、殿の手は昔の力をもっとよく思い出すでしょうな。」と、ガンダルフがいいました。

セオデンは立ち上がって片手を脇にやりました。しかし帯皮には剣は吊られていません。「グリマのやつどこへしまいこんだのじゃろう？」かれはぶつぶつと呟くようにいいました。

「殿！　これをお取りください。」澄んだ声が聞こえました。「いつも殿のお役に立つためにあったものでございます故。」音も立てず階段を登って来た二人の男が最上段から二、三段下った所に立っていました。一人はエオメルでした。頭に冑《かぶと》もかぶらず、胸に鎖かたびらもつけていませんでしたが、手には抜身の剣を握っていました。そしてかれは跪《ひざまず》いて、主人にその剣を柄《つか》の方を向けて差し出しました。

「どうしてこれを持っておる？」セオデンが厳しい口調でいいました。かれはエオメルの方に向き直りました。二人の男は、驚嘆して王を眺めました。かれは今堂々と背を伸ばして立っているのでした。二人が王の許を去った時には椅子にうずくまり、杖にもたれていたのですが、その時の老人はどこに行ったのでしょう？

「殿よ、わたくしの致したことでございます。」戦《おのの》きながら、ハマがいいました。「エオメル様はご釈放に相成ったものと解しまして。ただもう嬉しくてたまらなかったものでございますから、もしかしたらまちがいをしでかしたかもしれませぬ。しかしながらエオメル様はふたたび自由の身になられ、そしてまたマークの軍団長でいらっしゃいますので、わたくしはエオメル様のおいいつけ通り、エオメル様の剣をお持ち致したのでございます。」

「殿のお足許に置くためでございます。」と、エオメルがいいました。

しばらくの間口を利《き》く者もなく、セオデンはまだかれの前に跪いているエオメルを立ったままじっと見下ろしていました。どちらも動きませんでした。

「殿は剣を手にお取りにならぬのか？」と、ガンダルフはいいました。

のろのろとセオデンは片手を差し出しました。その指が柄に触れるや、見守る者たちの目には、かれの痩せた腕に不動の力が立ち戻ってきたかのように見えました。突然かれは抜身の刀を取り上げると、きらきらと刃《やいば》をきらめかせ、ヒューヒューと空《くう》を切りながら振り回しました。それから大きな鬨《とき》の声をあげました。かれがローハンの言葉で戦争への動員を呼びかける言葉を唱えると、その声は朗々と響き渡りました。

いざや立て！　立ちあがれ、セオデンの騎士らよ！
凶事は起こりて東の方暗ければ。
馬に鞍をおけ、角笛《つのぶえ》を吹きならせ！
　進め、エオルの家《いえ》の子よ！

衛士たちはご前に呼び出されたと思い、階段を飛ぶように駆け登って来ました。かれらは一様に驚きの眼で主君を眺めていましたが、やがていい合わせたように同時に剣を抜き、それを王の足許に置きました。「ご命令ください！」と、かれらはいいました。

「ウェスツ　セオデン　ハル！」と、エオメルが叫びました。「殿がふたたびご本領を発揮されるのを目《ま》のあたりにし、われら一同恐悦至極に存じます。ガンダルフ殿、あなたが禍《わざわい》のみをもたらすとはもう二度とだれにもいわせませせぬ！」

「わが妹の息子、エオメルよ、そなたの剣を取るがよい！」と、王はいいました。「ハマ、予の剣を探して参れ！　グリマが保管しておる。グリマもここに連れて参れ。さて、ガンダルフ殿、あんたはもし予に聞く気があれば与えるべき忠言があるといわれた。その忠言というのは何であろうか？」

「殿はすでに自らその忠言通りになされた。」と、ガンダルフが答えました。「ねじれた心の男をではなく、エオメル殿を信任なさることです。悔いと恐れを捨て去られることです。すぐなさらねばならぬことを実行なさることです。エオメル殿が殿に勧められたように、およそ馬に乗ることのできる男児は悉《ことごと》く直ちに西にお遣わしください。まだ時間のあるうちに、わしらはまずサルマンの脅威を取り除かねばならぬのです。もしこれに失敗すれば、わしらには崩壊あるのみ。成功すれば——その時は次の仕事に向かうのです。一方、残された家族たち、即ち女、子供、年寄りは殿が山中に用意しておられる避難所に逃れるべきです。そのような避難所が用意されているのは、この日のような禍の日に備えるためではありませんでしたかな？　かれらには糧食は持たせてやりなさるがいいが、ぐずぐずせぬよう、また大小にかかわらず貴重品を持って行かせぬようにしていただきたい。危ういのはかれらの生命なのですからな。」

「今ではこの忠言が予にかなったものに思えますぞ。」と、セオデンがいいました。「わが民は一人残らず支度をさせよう！　だが、あなた方、お客人たちよ——ガンダルフ殿、あんたはわが宮廷の礼儀が減じたと申されたが、もっともじゃ。あなた方は夜を通して馬を走らせて来られた。そして午前中ももう過ぎようとしておる。あなた方は眠りもせず、食べものも取っておられぬ。客室に支度を致させよう。食事を済まされたら、そこでお休みいただきたい。」

「いや、殿よ、」と、アラゴルンがいいました。「疲れた者にまだ休息はありませぬ。ローハンの方々は今日馬を進めて行かねばならぬのです。そしてわれらも斧と剣と弓をたずさえみなさんとともに馬を進めます。マークの殿よ、われらは殿の御殿《ごてん》の壁にたてかけるためにこれらの武器を持って来たのではござらぬ。またわたしはエオメル殿にお約束致したのです。わが剣とエオメル殿の剣をともに抜くことを。」

「今こそまことに勝利の望みが出て参りました！」と、エオメルがいいました。「だが、アイゼンガルドは強固じゃ。」

「望みはある。たしかに。」と、ガンダルフがいいました。「それに別の危険もかつてないほど近づいてきておる。セオデン殿、わしらが去ったあとは、もはや一刻も猶予《ゆうよ》召されるな。国民《くにたみ》を率い速やかに山中の馬鍬砦《まぐわとりで》に向かわれますよう！」

「いや、ガンダルフ！」と、王はいいました。「あんたはあんた自身がいかにすぐれた癒《いや》しの力を持っているかを知らぬな。予はあんたのいう通りにはせぬ。自ら戦いに赴《おもむ》き、死なねばならぬ時がくれば、戦列の先頭にあって討ち死にするぞ。さすれば予も安らかに眠れるであろう。」

「それならたとえ敗れようとも、ローハンの敗北は歌に讃えられましょう。」と、アラゴルンがいいました。武具に身を固めそばに立っていた男たちは互いに武器を打ち合わせ鬨《とき》の声をあげました。「マークの王がご出陣召さるぞ！　進め、エオルの家《いえ》の子よ！」

「だが、留守の者たちを非武装のまま導き手もなく置いておくわけには参らぬ。」と、ガンダルフがいいました。「殿に代わって、かれらを導き、かれらを治めることを何人《なんびと》に委《ゆだ》ねられますか？」

「そのことは出かけるまでに考えておこう。」と、セオデンは答えました。「予の相談役が参ったぞ。」

ちょうどその時ハマがふたたび広間から姿を現わしました。かれの後ろからは二人の男の間にちぢこまって蛇の舌のグリマがやって来ました。その顔は真っ蒼で、目は日の光に眩しそうにまたたいています。ハマは跪《ひざまず》いて、緑の宝石を飾り、黄金の留金を巻いた鞘《さや》におさめられた長い剣をセオデンに差し出しました。

「殿、古《いにしえ》より伝わりしご名刀、ヘルグリムでございます。」と、ハマはいいました。「こやつの櫃《ひつ》の中に見つけました。こやつは鍵を渡すことをたいそう渋っておりました。みんなが失くしたと申したてました物がほかにもいろいろはいっておりました。」

「嘘だ、」と、蛇の舌がいいました。「第一この剣はきさまのご主君がご自分でわたしに保管するようにとお渡しになったのだ。」

「それでその主君たる予が今度はそれを返すようにお前に命じとるんじゃ。」と、セオデンがいいました。「それが不満かな?」

「滅相もございませぬ、殿よ。」と、蛇の舌はいいました。「わたくしめはただただ懸命に殿と殿のお持ち物に気をくばっておりますので。しかし殿はあまりお疲れになってはいけませぬ。あまりひどく体力をご消耗なさいませぬように。このような面倒な客たちの相手は他の者にお委せくださいませ。ちょうどお食事のお支度ができるところでございます。おいでになりませぬか？」

「行こう。」と、セオデンはいいました。「それから客人方のお食事を予の隣りに用意させよ。今日はわが軍の出陣じゃ。人を遣わして触《ふ》れさせよ！　近くに住む者を悉《ことごと》く呼び集めるよう！成人の男子、および武器を身に帯びることのできる強健な少年たちは一人残らず、また馬を持つ者は全員、正午から二時間経たぬうちに馬に乗ったまま城門に待機させよ！」

「これは、これは、わが殿！」と、蛇の舌は叫びました。「わたくしの恐れていた通りでございます。この魔法使めが殿をたぶらかせ申したんでございますな。ご先祖から伝えられて参りました黄金館《こがねやかた》を、そして殿のご財宝のすべてをお守りすべく留まる者はだれもおりませぬのか？マークの王をお守りすべく留まる者はおらぬのでございますか？」

「もしこれがたぶらかしであるにせよ、」と、セオデンはいいました。「予には、この方がお前の囁《ささや》きよりは健全に思えるぞ。お前の呪《まじな》い治療にかかったら遠からずして予は獣の如く四足で歩かせられることになろうぞ。いいや、一人たりとも残さぬ。グリマとて残さぬぞ。グリマも馬に乗るのじゃ。行け！　刀の銹《さび》を落とすぐらいの時間はまだあるわ。」

「後生でございます、殿！」蛇の舌は哀れっぽい声でいうと、地面に額をこすりつけました。「殿にお仕え申すために疲れ果てました者にお情けをおかけくださいませ。わたくしを殿のお側からお引き離しにならないでくださいまし。他にだれ一人残らなくとも、わたくしだけは殿のお側におつき申し上げます。忠実なるグリマをどこにもおやりにならないでくださいまし！」

「お前に情けをかけておるとも。」と、セオデンがいいました。「お前を予の側から離しはせぬ。予自ら皆とともに出陣致すのじゃ。予とともに参って、お前の忠誠を示すように命ずるぞ。」

蛇の舌は次々とみんなの顔をうかがいました。その目には自分を取り巻く敵の輪の中にどこか隙はないものかと探している追いつめられた獣のような表情がありました。かれは色の薄い長い舌で唇を甜《な》めました。「エオル王家の王であれば、いかにご高齢でありましょうとも、かかるご決意をなされますことは当然予期すべきことであるかもしれませぬが、」と、かれはいいました。「殿を真底から愛しあぐる者にとりましては、晩年ご衰退の御身をいたわりかばう所存がございましょう。しかしながら、どうやらわたくしの来方が遅かったようでございますな。わが殿が討ち死にされようとわたくしほど悲しく思われぬ方々がもうすでに殿を説得してしまわれたようですからな。かれらの仕おおせたことをこのわたくしめが元に戻すことができぬとあれば、殿よ、せめてこのことだけはわたくしの申すことをお聞き届けくださいまし。殿のお気持ちを知り、殿のご命令を尊重致す者をエドラスにお残しになってくださいまし。忠実なる城代をご任命くださいまし。殿のご相談役グリマにすべての管理をお任せくださいまし、殿のご帰還まで——願わくばご凱旋をお迎えできますように。賢人であればこの日を迎える望みをもつ者は一人もおらぬでありましょうが。」

エオメルは声をあげて笑いました。「いとも高潔なる蛇の舌殿よ、もし今のあんたの願いがお聞き届けにならず、出陣を免除されぬのなら、」と、かれはいいました。「もっと下級のどんな役目なら引き受けようというのかな？　粉のはいった袋でも山の中にかついで行かれるかな――あんたを信用してかつがせてくれる者があればのことだが。」

「いや、エオメル殿、あんたはまだ蛇の舌先生の心のうちを十分にわかってはおられぬ。」ガンダルフがその見透かすような視線を蛇の舌に向けていいました。「かれは大胆にして狡猾《こうかつ》。今でさえ、かれは一か八か危険な勝負を打っておる。そしてもうすでに一番勝っておる。わしの貴重な時間をもう何時間もかれは無駄にしおった。蛇め、腹ばうがいい！」突然恐ろしい声を出してかれはいいました。「ぺったり腹ばうがいい！　いつからサルマンに買収されたのじゃ？　引き換えに何をくれると約束した？　男たちが悉《ことごと》く死んでしまったら、きさまは王の財宝の中から自分の分け前をもらい、きさまがわが物にしたいと思っている婦人を手に入れることになっておった。あまりにも長いことをきさまはその瞼の下からかの婦人を見守り、絶えずその足許につきまとっておった。」

エオメルが剣を握りしめました。「わたしはそのことをすでに承知していた。」と、かれは呟《つぶや》きました。「殿中の掟も忘れ、こやつを斬ろうとしたのは、そういうわけがあったからだ。だが、わけは他にもある。」かれは前に進み出ました。しかしガンダルフが手でかれを押し止めました。

「エオウィンはもう安全じゃ。」と、かれはいいました。「だが、蛇の舌よ、きさまはきさまの真《まこと》の主人のためにできる限りのことをやってきた。少なくとも幾分かの報酬を受けるに足るだけのことはしてきた。じゃがサルマンはとかく約束をないがしろにし勝ちじゃからな。忠告しといた方がよかろう。かれがきさまの忠実な奉公を忘れぬよう、早く行ってかれに思い出させてやるがいいぞ。」

「嘘だ。」と、蛇の舌はいいました。

「その言葉はばかにすらすらときさまの口から出て来るな。」と、ガンダルフがいいました。「わしは嘘はつかぬ。見られよ、セオデン殿、ここに蛇がおりますぞ！　これをお連れになることも、後に置いて行かれることも安全ではありませぬ。斬って捨てるが当然でしょう。じゃが、こやつも元来こうであったわけではない。かつては人間であったこともあり、この者なりに殿にご奉公をしたこともある。こやつに馬を与え、どこへなりと好む所に直ちに行かせられるがよろしかろう。こやつの選ぶ行く先によってこやつを判断なされよ。」

「よいかな、蛇の舌よ、」と、セオデンがいいました。「お前にこのどちらかを選ばせてやろう。予とともに出陣し、お前に忠誠心があるかどうかを戦場でわれらに見せてくれるか、さもなくば、どこへなりとお前の行きたい所に今すぐ行ってしまうことじゃ。だがもしふたたび相見ることがあれば、その時には予は容赦はせぬぞ。」

蛇の舌はのろのろと立ち上がりました。かれは半眼を見開き、みんなを眺め回しました。最後にかれはセオデンの顔をつくづく見入ると、話そうとするかのように口を開きました。それから不意に体を真っ直に伸ばしました。両手がわなわなと震え、目がぎらぎらと光りました。その目には人々がかれの前から思わず後ずさりする程の敵意が浮かんでいました。かれは歯を剝《む》き出し、それからシューッと息を押し出すようにして、王の足許に唾を吐きました。それから身をひるがえして、飛ぶように階段を駆け降りて行きました。

「後を追え！」と、セオデンがいいました。「あれがだれをも傷つけぬよう見届けよ。だが、あれを傷つけてはならぬ。またその行く手を阻んでもならぬ。あれが望めば、馬を与えよ。」

「あいつを背に乗せる馬がおればのことですな。」と、エオメルがいいました。

衛士の一人が階段を駆け降りて行きました。もう一人別の衛士が階段の下にある泉の所に行き冑《かぶと》に水を汲んで来ました。その水でかれは蛇の舌の汚した石畳を洗い流しました。

「さあ、客人方よ、おいでなされ！」と、セオデンがいいました。「あわただしい時間の許すだけ、何か召上がっていただこう。」

一同は大広間に戻って行きました。かれらはすでに麓《ふもと》の町で王の使者たちが声を張り上げて、触れ回り、戦いを告げる角笛《つのぶえ》が吹き鳴らされるのを聞いていました。王はこの町および近郊に住む男たちが武具に身を固め集合を終え次第、軍を進めることになっていたのです。

王の食卓にはエオメルと四人の客たちが坐り、また王に付添ってエオウィン姫も同席しました。一同は速やかに食べかつ飲みました。セオデンがガンダルフにサルマンのことをいろいろたずねている間、あとの者はただ黙って聞いていました。

「かれの背信がいつに始まったことなのか、だれにわかりましょうぞ？」と、ガンダルフがいいました。「かれとて常に邪心を抱いていたわけではない。かつてはかれもローハンの友人であったことをわしは疑いませぬな。かれの心が次第に冷たくなってきた時でさえ、かれはまだ殿のことを利用価値があると考えておった。しかしながらもうしばらく前からかれは殿の破滅を策しておった。準備が整うまで表面は友情の仮面をかぶりながら。その当時は蛇の舌の仕事は易々たるものじゃった。そして殿のなさることはすべてたちまちアイゼンガルドの知るところとなった。何故なら殿の国土は開放的で、他国人がいくらでも往来できましたからな。そして蛇の舌は絶えず殿のお耳によからぬことを囁《ささや》いて、殿のお考えを毒し、殿のお心を冷やし、殿の手足を萎《な》えさせようとしておった。他の者たちはそれを見守るだけでどうすることもできなかった。何故なら殿のご意志はかれの手に預けられておったからです。

「しかしわしがサルマンから逃れて殿にご警告申し上げた時、見ようとする者の目にはかれの仮面がはがれてしまった。それからあと蛇の舌は危ない綱渡りを演じながら、常に殿が行動に移られることを遅らせようとし、殿の総力が結集されることを妨げようと努めてきた。かれは悪賢い奴で、かれの目的に役立たすべく、人々の警戒心を鈍らせ、またかれらの恐怖心に働きかけた。西方に当面する危険がある時、一兵たりと北方での無益な追跡に割《さ》いてはならぬとそれは熱心にかれが主張したのを殿は憶えてはおられぬじゃろうか？　かれは殿を説き伏せ、殿は侵入してくるオークどもを追跡することをエオメル殿に禁じられた。もしエオメル殿が殿の口を借りて話す蛇の舌の声を無視されなかったなら、あのオークどもは今頃もうアイゼンガルドに着いておろう。

それも大変な土産を持って。確かにそれはサルマンが何物にも増して欲しがっている土産物ではないが、少なくともわが仲間の二人で、ある秘密の望みを分かち合う者たちでしたのじゃ。その望みのことは、殿よ、まだ殿にさえ公然とはお話し致すわけには参りませぬ。もしそういうことになっておれば、殿よ、この二人の者が今頃はどんな苦しみを嘗《な》めておるか、はたまたサルマンはわしらの破滅に連なるいかなることを聞き知ることになったか、殿には考えてもいただきたい。」

「予はエオメルには随分感謝せねばならぬな。」と、セオデンがいいました。「忠誠なる心は頑固な言葉を吐くのかもしれぬ。」

「こうもいえますぞ。」と、ガンダルフがいいました。「ゆがんだ目には真実もゆがんだ顔にうつるかもしれぬとな。」

「真《まこと》に予の目はくもっておった。」と、セオデンがいいました。「わが客人よ、とりわけあんたには恩を感じますぞ。またもやあんたはちょうど間に合って来てくれた。出立前にあんた自身に選んでいただいて、何か贈りものを差し上げたい。予の持ち物であれば何でもかまわぬ、ただいっていただけばよい。予が自分の物に取っておきたいのはわが剣のみじゃ！」

「ちょうど間に合って来たかどうかは、まだわかりませぬぞ。」と、ガンダルフはいいました。「しかし何か戴くということであれば、殿よ、わしの必要に合致する物を選ばせていただきましょう。迅速にして確かなものをです。飛蔭《とびかげ》を戴きたい！　以前はお借りしただけですから。一時的な貸与と申したらよろしいですかな。しかし今度は大いなる危険の中にかれを乗り入れ、暗黒の中にかれの銀を配することになりましょう。じゃが自分の物ではないものを危険に晒《さら》したくはありませぬ。そしてすでにわしら両者は愛情で固く結ばれておりますので。」

「よいものを選ばれた。」と、セオデンがいいました。「今度は喜んでかれを差し上げますぞ。しかしこれは大層貴重な贈りものじゃ。飛蔭《とびかげ》に比肩すべき馬は一頭もおらぬ。古《いにしえ》の偉大な馬たちの一つがかれの中に甦《よみがえ》ってまいったのじゃから。二度とかかる馬が甦ることはなかろう。それからあなた方、あとの三人の客人方には、わが武器庫に見いだし得る物なら何なりと差し上げよう。あなた方には剣はご不要じゃな。が、巧みをこらした冑《かぶと》や鎖かたびらの類がある。わが父祖たちへゴンドールから贈られたものじゃ。出立前にそれらの中からお選びなされ。そしてそれがあなた方にうんと役立ってくれるとよろしいが！」

王の武器庫から鎧《よろい》冑《かぶと》が運んで来られました。人々の手でアラゴルンとレゴラスは輝く鎖かたびらを身に着けさせられました。かれらはまた冑と円形の盾を選びました。盾の表面の浮き出した部分には金がかぶせてあり、緑と赤と白の宝石がはめこまれていました。ガンダルフは鎧冑を一切身に着けませんでした。またギムリはたとえかれの身丈に合うのが見つかったにしても鎖かたびらを必要としませんでした。何故なら北の国の山の下で鋳造された短い胴鎧に勝る造りの鎖かたびらはエドラスの武器庫には見いだされなかったからです。しかしかれはその丸い頭にぴったり合う鉄と皮でできた帽子を選びました。それから小さな盾も一つ取りました。その盾には緑地に白く疾駆する馬が描かれていました。これはエオル王の紋章でした。

「その盾があんたをよく守ってくれるように！」と、セオデンがいいました。「それはセンゲル王の時代に、予がまだ子供であった頃、予のために作られたものじゃ。」

ギムリは頭を下げました。「マークの殿よ、殿のご紋章を身に帯びて、光栄です。」と、かれはいいました。「わたしは本当のところ馬に運ばれるより、馬を運んだほうがいいのです。自分の足のほうが好きなのです。しかしこれからいよいよ立って戦える所に行けることになるかもしれません。」

「恐らくそうなりましょうぞ。」

ここで王は立ち上がりました。すると直らにエオウィンが葡萄酒を持って進み出ました。「フェルス・セオデン　ハル！」と、かの女はいいました。「祝着《しゅうちゃく》の杯をお受けください。そしてお飲みください。お健やかに往きて還りませ！」

セオデンは杯から飲みました。エオウィンはそれをさらに客たちに差し出しました。アラゴルンの前に立った時、かの女は不意に一瞬ためらいを見せ、かれをじっと眺めました。その目は輝いていました。かれはかの女の美しい顔を見下ろして微笑を浮かべました。かれが杯を受け取る時、その手がかの女の手に触れました。その触れ合いにかの女の体が震えたのがかれにはわかりました。「お健やかに、アラソルンの子アラゴルンさま！」と、かの女はいいました。「お健やかに、ローハンの姫君！」と、かれは答えました。しかしその顔には今では心配そうな表情が浮かび、微笑は消えていました。

一同が杯から飲み終わると、王は入口の方に進んで行きました。そこには衛士たちが王を待ち、触れ役の使者たちが立っていました。そしてエドラスに残っていた者、近郊に住む者を問わずすべての貴族たち、首長たちが集まっていました。

「見よ！　予はこれより出発いたすぞ。予の最後の出陣となろう。」と、セオデンがいいました。「予には子がおらぬ。わが子セオドレドは討ち死にした。予はわが妹の子エオメルをわが世継に指名する。もし予ら二人が共に戻らねば、その時はそちたちの望む者を新しき王に立てよ。しかし今はだれかに後に残る国民《くにたみ》を予に代わって統治すべく後事を託さねばならぬ。そちたちのうちだれが残ってくれるかな？」

だれも口を利《き》きませんでした。

「そちたちが指名しようと思う者は一人もおらぬのか？　わが国民《くにたみ》はだれを頼りとすべきじゃろうか？」

「エオル王家の方を。」と、ハマが答えました。

「だがエオメルは置いて行くわけにはいかぬ。第一かれは留まろうとするまい。」と、王はいいました。「そしてかれは王家の最後の者じゃ。」

「エオメル様のことを申し上げたのではございませぬ。」と、ハマは答えました。「それにエオメル様が王家の最後の方ではございませぬ。エオメル様の妹君、エオムンドのお娘御エオウィン様がおいでです。エオウィン様は恐れを知らず、勇敢であらせられます。すべての者が姫君をお慕い申し上げております。われらの留守中、姫君をエオルの家の子の統治者になさってくださいませ。」

「そう致そう。」と、セオデンはいいました。「使者たちを遣わし、わが国民《くにたみ》に触れ回らせよ。エオウィン姫がかれらの指揮を取るとな！」

それから王は入口の前にある腰掛けに坐り、エオウィン姫はその前に跪《ひざまず》いて、王から剣と美しい胴鎧《よろい》を受け取りました。「さらばじゃ、わが妹の娘よ！」と、かれはいいました。「今は暗い。さりながらこの黄金館《こがねやかた》にわれらがふたたび戻ることもあろう。じゃが馬鍬砦《まぐわとりで》にこもる者たちはそうすぐには防備を解《と》くわけにはいかぬかもしれぬ。してもし戦局がわが方に不利となれば、逃れられる者はかの地に参るであろうからな。」

「そのようなことを仰せられますな！」と、かの女は答えました。「殿のご帰還までは一日の苦しみが一年の苦しみにも当たりましょう。」しかしそう話しながらもかの女の目は近くに立っているアラゴルンに向けられました。

「王は戻られましょう。」と、かれはいいました。「ご心配召されるな。われらの運を決するのは西ではなく東にあるのです。」

王はガンダルフを脇に伴って階段を降りて行きました。一同もそのあとに従いました。城門に向かって進む途中、アラゴルンは後ろを振り返りました。階段の一番上には、エオウィンがただ一人広間の入口の前に立っていました。かの女は柄《つか》に両手をそえ、剣を目の前にまっすぐ立てていました。身にはすでに鎖かたびらをまとい、銀のように日に輝いていました。

ギムリは肩に斧をのせ、レゴラスと一緒に歩いて行きました。「やれやれ、やっと出発だぞ！」と、かれはいいました。「人間は事をなす前にいろいろいうことがあるんだな。わたしの斧はわたしの手の中でむずむずしてるんだよ。といってもこのロヒアリムもいざとなれば凄い腕前を見せるだろうってことは疑わないがね。だが、これはわたし向きの戦争じゃないなあ。合戦場までどうやって行けばいいのかね。ガンダルフの鞍の前で粉袋よろしくぽんぽん跳ね上げられるより、歩かせてもらいたいもんだな。」

「他のに乗せてもらうよりは安全だろうけど。」と、レゴラスがいいました。「だが、撃ち合いが始まれば、ガンダルフはまちがいなく喜んで君を下に降ろしてくれるだろうよ。でなければ、飛《とび》蔭《かげ》自身が降ろしてくれるさ。斧っていうのは馬上で使う武器ではないからね。」

「それにドワーフは馬に乗らないもの。わたしはオークの首をちょん切りたいんで、人間の頭の皮をこそぎ取りたくはないんだよ。」ギムリはこういって、斧の柄《え》を軽く掌で叩きました。

城門にはたくさんの男たちが集まっていました。老いも若きもみな鞍にまたがり出発するばかりでした。集まった者は一千余騎。槍《やり》は突如として生じた林のようでした。セオデンが現われると、かれらは声高らかに喜ばしげに叫びました。王の乗馬雪の鬣《たてがみ》の手綱を把って待つ者もいました。また、アラゴルンとレゴラスの乗馬の手綱を取る者もいました。ギムリは難かしい顔をして落ち着かなげに立っていましたが、そこへエオメルが自分の馬を引いてやって来ました。

「さてこそ、グローインの息子ギムリ殿！」と、かれは叫びました。「あなたの振られる斧の下でお約束通り上品な言葉遣いを教えていただく時間はありませんでしたね。しかしわれらの喧嘩もしばらくお預けにしようではないですか？　ともかく今後わたしは二度とかの森の奥方のことを悪くはいいませんよ。」

「ここしばらくはわたしも怒りを忘れましょう、エオムンドの息子エオメル殿、」と、ギムリはいいました。「しかし、もしあなたがご自分の目でガラドリエル奥方をご覧になることがあれば、その時はあなたもあのお方が一番美しいことを認められるでしょうよ。もしそうでなければ、われらの友情も終わりですよ。」

「それでいいですとも！」と、エオメルはいいました。「だがその時まではわたしのことをご勘弁いただきたい。そしてその印にわたしの馬に乗っていただくようお願い申し上げる。ガンダルフ殿はマークの王とともに先頭に立たれるだろう。だが、あなたさえよければ、わたしの馬火の足がわれら二人を乗せてくれましょう。」

「誠に有難い。」ギムリはたいそう喜びました。「わが友レゴラスが隣りに馬を進めてくれれば、喜んでご一緒に乗せていただこう。」

「そうしていただこう。」と、エオメルはいいました。「レゴラス殿はわたしの左手に、そしてアラゴルン殿はわたしの右手においでください。そうすればわれらの前に立つ勇気のある者は一人もおらぬでしょう！」

「飛蔭《とびかげ》はどこかな？」と、ガンダルフがいいました。

「草の上を荒々しく走っています。」と、一同は答えました。「だれにも手を触れさせようとはしないのです。あそこにいます。浅瀬を渡ってどんどん向こうに行きます。まるで影のように柳の木の間を走って行きます。」

ガンダルフは口笛を吹き、大声で馬の名前を呼ばわりました。するとはるか向こうで馬は頭を振り上げて嘶《いなな》き、くるっと向きを変えるや矢のようにこちらに向かって疾駆して来ました。

「西風が目に見える形をとるとしたら、かくも見えようか。」エオメルがそういう間にも、大きな馬はどんどん近づき、とうとう魔法使の前まで来て立ち止まりました。

「この贈りものは既に与えられたもののように見えるな、」と、セオデンはいいました。「しかし、聞け、皆の者！　予は今ここでわが客人、灰色衣《ごろも》のガンダルフを、最も賢明なる助言者、いとも歓迎すべき旅人、マークの貴族の一人、わがエオルの裔《すえ》一族の続く限り、その首長の一人に指名する。そして馬の中の王者飛蔭をかれに与える。」

「有難くお礼申し上げる、セオデン王よ、」と、ガンダルフはいいました。それから突然灰色のマントを後ろにはねあげ、帽子を投げ捨てて、馬の背に飛び乗りました。冑《かぶと》も冠らず鎧《よろい》も着ず、雪白の髪が風になびき、白い長衣が日にきらめきました。

「見よ、白の乗手を！」アラゴルンが叫びました。居並ぶ者もその言葉に応えて叫びました。

「われらの王と、白の乗手よ！　進め、エオルの家の子よ！」

トランペットが吹き鳴らされました。馬たちは後足で立って嘶《いなな》きました。槍《やり》が盾とかち合って音を立てました。そして王が片手をあげると、突如として疾風の襲う勢いでローハン最後の軍勢は蹄の音を轟《とどろ》かせ、西の方に馬を駆けさせて行きました。

エオウィンは静まり返った城館の門前にただ一人、立ちつくしたまま、草原のはるかかなたに軍団の槍がきらめくのを見やりました。

七　ヘルム峡谷

一行がエドラスから馬を乗り進めて行くうちにも、日はすでに西に傾き始め、斜光はまともに皆の目に射しこみ、起伏するローハンの草原を金色の靄《もや》と化しました。白の山脈の麓《ふもと》を囲む丘陵に沿って北西に踏み固められた道がついていました。一行はこの道を辿って、緑の原の起伏を上り下りしながら、たくさんの浅瀬を渡って小さな急流をいくつも横切りました。はるか前方の右手に霧ふり山脈がぼんやりと見えています。進むにつれ山容はいよいよ色濃く、大きく迫ってきました。太陽はゆっくりと前方に沈んでいきました。後方には夕闇が降りました。

ローハンの軍勢は乗り続けました。切迫感が軍をかりたてました。もう遅すぎるのではないかと危ぶみながら、かれらはもうこれ以上は出せないと思われる速さで駆け、一休みすることさえ稀でした。ローハンの馬はすべて足が速く持久力もありましたが、踏破すべき道は何十リーグとあるのです。エドラスからアイゼン川の浅瀬まで直線距離にして四十リーグ以上もあります。そのアイゼン川の浅瀬まで行けば、サルマンの大軍の進攻を阻んでいる王の部隊がいるはずでした。

夜の闇が一同を取り囲みました。とうとう軍は馬を止めて野営をすることにしました。かれらはおよそ五時間ばかり馬を乗り続け、西の草原のはるか遠くまでやって来ていたのですが、それでも前途にはまだ行程の半分以上があるのでした。星空と満ちていく月の下、かれらは大きな円座を作って露営の支度をしました。不測の事態がないとはいえないので、篝火《かがりび》を焚くことはせず、環《わ》の周りを取り巻くように騎馬の見張りを立て、斥候を遠く前方に送り出しました。斥候たちは窪地の中をまるで影のように走り過ぎて行きました。変事もなく、急報もなく、ゆっくりと夜は過ぎてゆきました。明け方に角笛《つのぶえ》が吹き鳴らされ、一時間経たぬうちに軍はふたたび道を続けました。

頭上にはまだ一片の雲さえ見られませんが、空気が重苦しく感じられます。今の季節としては暑すぎました。上る太陽がかすみ、その背後から、ゆっくりと日を追うように次第に暗さを増す黒っぽいものが空を上ってきました。大きな嵐が東からやってくるようでした。そして北西を見ると、また別の暗いものが霧ふり山脈の麓のあたりに立ちこめているように見えました。それは魔法使の谷からゆっくりと降りてくる影とも見えました。

列の先頭にいたガンダルフはエオメルと並んでレゴラスが馬を進めている所まで戻って来ていました。「レゴラスよ、あんたは美しい種族もちまえの鋭い目を持っておる。一リーグ離れていても雀と鷽《うそ》を見分けるくらいじゃ。教えてくれ、ずっと向こうのアイゼンガルドの方角に何か見えぬかな？」

「あそこまでは随分あります。」レゴラスはそういうと、その長い手を目の上にかざし、そちらの方をじっとみつめました。「黒っぽいものが見えます。その中に何かが動いています。ずっと遠くの川の堤にはとても大きな姿をしたものたちがいますね。何だかわからない。この目を遮っているのは靄《もや》でも雲でもない。何かの力があそこの地上を蔽うために置いた影ですね。その影は流れに沿ってゆっくり下ってくる。まるで果てしなく続く木々の下の薄明かりが山々から下ってくるようです。」

「そしてわしらの後ろからは、他ならぬモルドールの嵐がやってくる。」と、ガンダルフはいいました。「真っ暗な夜になろうわい。」

城を出て二日めが近づこうとする頃、空気の重苦しさはますます増してきました。午後になると、黒い雲が追い着いてき始めました。雲はさながら薄暗い大天蓋で、その波うつ大きな縁飾りに、目も眩《くら》む光の条《すじ》を交えていました。太陽は煙る靄の中に血のように赤く沈んでゆきました。その最後の光の箭《や》がスリヒルネの峰々の切り立った岩壁を赤々と照らした時、騎士たちの槍《やり》の穂先は火と燃えました。いま軍は、白の山脈の最北の支脈にま近く迫っていました。その三つの尖峰が没日《いりひ》に対峙していました。最後の赤い夕映《ば》えの中に一点、黒馬に乗った者がこちらに駆けて来るのを先頭にいた騎士たちが見つけました。一同は立ち止まってかれを待ちました。

かれは来ました。冑《かぶと》はへこみ、盾は割れ、疲れ切っていました。そしてのろのろと馬から降りると、しばらく肩で息をしながら立っていました。ようやくかれは口を開くと、「エオメル様はおいでだろうか？」と、たずねました。「とうとう君たちは来てくれた。だが遅すぎた。それにこれだけの軍勢ではあまりにも少なすぎる。セオドレド様が討ち死にされてより、事態は悪化し、昨日われらはアイゼン川を渡って退却させられ多くの死傷者を出した。川を渡る際にたくさんの者が死んだのだ。さらに夜にはいるとふたたび新たな大軍が繰り出して川を渡りわれらの野営地を襲った。アイゼンガルドはすっかり空《から》になっているに違いない。サルマンは二つの川の向こうにある褐色人《びと》の国の荒らくれた山男どもや放牧者たちに武器を与え、われらに向かわせて来た。われらは打ち負かされた。われらの盾の壁は破れた。西の谷のエルケンブランド様は集められる限りの者を集めてヘルム峡谷にあるあの方の砦《とりで》に向かって撤退された。残りの者は四散した。「エオメル様はどこにおられる？　先に進まれても望みは無いと伝えられよ。アイゼンガルドの狼どもがやって来る前にエドラスにお戻りになるべきだ。」

セオデンは近衛の騎士たちの陰になり、男の目から見えぬ所に黙って鞍にまたがっていましたが、馬を前に進め、男の前に姿を現わしました。「さあ、ケオルよ、予の前に参れ！」と、かれはいいました。「予はここにおるぞ。エオルの家の子の最後の軍勢が出陣して来たのじゃ。われらは一戦を交えずに戻ることはない。」

男の顔は喜びと驚きに明るくなりました。かれは体を真っ直にして立ったと思うと今度は跪《ひざまず》いて、刃こぼれのした自分の剣を王に差し出しました。「殿よ、ご命令に従います！」と、かれは叫びました。「そしてどうか無礼のほどをお許しください。わたくしはまた殿が――」

「そなたは予が雪に折れ曲がった老木のように背を屈《かが》めてメドゥセルドに留まりおるものと思っておった。そなたは予が戦いに出て行った時にはまさにしかり。だが西風が枝を揺さぶってくれたよ。」と、セオデンはいいました。「この者に新しい馬を与えよ！　エルケンブランドの救援に向かうとしようぞ！」

セオデンが話している間、ガンダルフは少し前方に馬を進め、そこで一人馬上から北のアイゼンガルドと西の夕日にじっと目を注ぎました。それから戻って来ていいました。

「進まれよ、セオデン殿！　ヘルム峡谷に馬を進められよ。アイゼンの浅瀬に向かわれるな。また平原にて時間を取り給うな。わしはしばらく殿の許を離れて行かねばならぬ。今こそ飛蔭《とびかげ》の足のかぎり、急ぎの用を果たさねばなりませぬから。」それからかれはアラゴルンとエオメルと王家の騎士たちに向かって叫びました。

「わしが戻るまで、マークの王をしっかとお守りせよ。ヘルムの門でわしを待て！　さらばじゃ！」

かれは飛蔭に一言言葉をかけました。するとこの大きな馬はまるで弓から矢が放たれるように走り去って行きました。みなが見ている間にもその姿はもう見えなくなりました。夕日にひらめく銀色の閃光とも、草原を渡る風とも、視界をよぎり飛ぶ物影とも見紛うばかりでした。雪の鬣《たてがみ》は嘶《いなな》いて後足で立ち、あとについて行きたがりました。しかしかれに追い着くことのできるのは翼の速い鳥しかなかったでしょう。

「どういうことだろう？」近衛隊の一人がハマにいいました。

「灰色衣《ごろも》のガンダルフは急ぐ用があるのさ。」と、ハマは答えました。「あの人はいつも神出鬼没だからな。」

「蛇の舌がここにいたら、わけなく説明してみせるだろうよ。」と、相手はいいました。

「確かに、」と、ハマはいいました。「だがわたしはもう一度ガンダルフに会うまで待つな。」

「多分長いこと待つことになるだろうよ。」と、相手はいいました。

王の軍勢はそこでアイゼンの浅瀬に向かう道をそれ、進路を南にとりました。とっぷりと暮れてからなおも乗り続けました。丘陵地帯が近づいてきました。しかしスリヒルネの高い峰々は次第に暗さを増す夜空にもうぼんやりとしか見えません。ここからまだ何マイルも先になりますが、西の谷の向こう側に入江のように山の中に大きく入り込んでいる緑の谷間がありました。この谷間からさらに狭い深い峡谷が山間部に向かって開いていました。この土地の人間たちはこの狭い峡谷をヘルム峡谷と呼んでいましたが、それは遠い昔の戦争でここに避難場所を求めた英雄の名にちなんだものでした。この峡谷は北からだんだん中の方にスリヒルネの山々の影の下をくねくねと曲がりながら入り込んでいるのですが、奥へ行くほど次第に嶮《けわ》しく、次第に狭《せば》まって、ついには鳥しか通わぬ峨々《がが》たる断崖が巨大な塔のように両側に聳《そび》え立ち昼の光をも遮っているのでした。

この峡谷の入口の手前にヘルムの門があって北側の崖から踵《くびす》のように岩が突き出ていました。その突出部を土台に古い石の高い城壁が築かれていて、城壁の中には高い塔が聳え立っていました。人間たちはその昔ゴンドールの盛期に海の王たちが巨人たちの力を借りてこの地にかかる要塞《ようさい》を築いたものといいならわしていました。そしてこの砦《とりで》は角笛《つのぶえ》城と呼ばれているのですが、そのわけはこの塔の上で吹き鳴らされるラッパは背後の峡谷にこだまし、あたかも遠い昔に忘れ去られた大軍が山々の下の洞穴から続々と戦さに繰り出てくるかのように聞こえるからでした。古代の人間たちはまたこの角笛城から南側の崖にかけてもやはり城壁を築き、峡谷への侵入をこうして阻んだのです。この城壁の下に広い暗渠《あんきょ》があり、そこを通って渓流が外に流れ出ていました。その流れは角笛岩の麓《ふもと》をめぐり、それから広い緑の三角地の真ん中を穿つ小峡谷となって流れていきました。この三角地はヘルムの門からヘルムの堤防に至るまでなだらかな下り勾配《こうばい》を描いていました。渓流はそこから奥谷《おくたに》に流れ込み、それから西の谷に流れ出ていました。ヘルムの門の角笛城には、マークの国境にのぞむ西の谷の支配者エルケンブランドが現在居をかまえていました。戦争の脅威を伴って時代の暗さが加わるにつれ、賢明にもかれは城壁を補修して、砦を堅固に補強していたのです。

ローハンの騎士たちがまだ奥谷の入口の手前の低い谷間にいる時でした。一同に先行して偵察していた斥候たちのところから叫び声や角笛を吹き鳴らす音が聞こえてきました。暗闇の中を唸りをあげながら矢が飛んできました。すぐに一人の斥候が馬を走らせて戻り、狼に乗った者たちがこの谷間のあちこちを走り回っており、またオークと荒くれ男どもの大軍がアイゼンの浅瀬から続々南に下って、ヘルム峡谷に向かおうとしているらしい旨を報告しました。

「われわれは、逃げようとする途中で殺された同胞の亡骸《なきがら》をたくさん見つけました。」と、斥候はいいました。「さらに、ばらばらになった生き残りたちがいくつも群れを作り、指揮者もなくうろうろしているのに出会いました。エルケンブランド様がどうなられたかはだれ一人知る者がないようでした。たとえまだご無事であるにせよ、ヘルムの門まで辿《たど》りつかれる前にやつらに襲われてしまわれましょう。」

「ガンダルフは見かけなかったか？」と、セオデンがたずねました。

「見かけましてございます、殿よ。白い衣に身を包み、草を渡る風のように広い草原をここかと思えばまたかしこを駆けて行く馬上の老人を見かけた者は大勢ございます。中には、その老人のことをサルマンと思う者もございました。わたくしの聞きましたところでは、かれは夜が訪れる前にアイゼンガルドの方に向けて去ったそうにございます。またそれより早く蛇の舌を見かけた者がございます。かの者はオークたちと一緒に北の方に向かっていたそうでございます。」

「ガンダルフがかれに行き遇《お》うたら、蛇の舌には具合の悪いことになろう。」と、セオデンはいいました。「とはいえ、今や予の相談相手が、新旧ともにいなくなったわ。だがこの危急の時にあたっては、ガンダルフの申したように、このままヘルムの門まで行くほかはあるまい、エルケンブランドがおるにせよおらぬにせよ。北からやって来た軍勢はどの程度の勢力かわかっておるのかな？」

「大軍勢にございます。」と、斥候はいいました。「逃げる者の目には敵兵の数は二倍にうつるものですが、わたくしが話をしましたのは剛毅《ごうき》な者たちにございました。それで敵はその主力部隊だけでもわが方の何倍とありますことは疑いをいれませぬ。」

「では急ぐとしましょう。」と、エオメルがいいました。「ここから砦《とりで》にいたるまでの間にすでに入り込んだ敵どもを追い落として参りましょう。ヘルム峡谷には何百人という者が隠れることのできるたくさんの洞穴があります。またそこから丘陵地帯へ出る秘密の道もございます故。」

「秘密の道は当てにせぬがよい。」と、王はいいました。「サルマンはこの土地をとっくに探りつくしておる。とはいえ、われらの防御が久しく保《も》つのはあの場所であろうぞ。さあ、参ろう！」

アラゴルンとレゴラスはエオメルとともに今度は先頭に立ちました。暗い夜をこめてかれらは乗り続けましたが、闇が深まるにつれ速度は次第に落ちていきました。そして道は南に向けて上りとなり、いよいよ高く山脈の麓《ふもと》のおぼろな山襞《やまひだ》の中に入り込んでいきました。途中、敵兵の姿はあまり見いだされませんでした。かたまってうろつき回っているオークどもにあちこちで出会うことはありましたが、かれらは騎士たちにつかまったり殺されたりする前に逃走して行きました。

「王の軍勢の到着はいずれ間もなく、サルマンなり、その派遣した隊長なり、敵の統率者の知るところとなりましょう。」と、エオメルがいいました。

戦いの音が次第に後方から迫ってきました。今やかれらは暗闇を運ばれてくる荒々しい歌声を聞くことができました。奥谷のずっと奥の方まで登りついて一同が見返ると、後方の真っ暗な広野に炬火《たいまつ》が、燃える火の無数の点々となって、あるいは赤い花のように散らばり、あるいは明滅する長い列をいくつも作って低地の方からくねくねと登って来るのが見えました。またここかしこにもっと大きな焔《ほのお》がぱっと燃え上がることもありました。

「たいへんな大軍団だ。しかもせっせとわれらを追って来る。」と、アラゴルンがいいました。

「やつらは火を持って来おる。」と、セオデンはいいました。「そして道々干草も、小屋も、木もみな焼き払って来る。ここは肥沃な谷間じゃった。そしてたくさんの農家があった。哀れじゃのう、わが民は！」

「昼間だったらなあ。そうすれば山から吹き起こる嵐のようにここからやつらに襲いかかって行けるのだが！」と、アラゴルンがいいました。「やつらに背中を見せて逃げるとはわれながら無念だ。」

「そんなに遠くまで逃げることはありません。」と、エオメルがいいました。「ヘルムの堤防はもうそれほど先ではありません。これは昔からある古い堀と防壁で、ヘルムの門から四丁ほど下のところで奥谷を横断しているのです。そこまで行けば敵の方に向き直って戦いを仕掛けることができます。」

「いや、堤防を守るにはわが方の人数は少なすぎる。」と、セオデンがいいました。「堤防の長さは一マイルかそれ以上あろうし、広い破《や》れ口があるのじゃ。」

「敵が迫って来たなら、われらのうちの後衛がその口に立たねばなりませぬ。」と、エオメルがいいました。

騎士たちが堤防の破れ口まで来た時には星も月も出ていませんでした。この口は、上から流れてきた水がここを通り、またそれと並んで角笛城《つのぶえ》から下ってきた道が走っていました。その防壁が突然目の前におぼろに現われました。暗い穴のような闇の先に高い影のように見えます。軍が近づいて行くと、歩哨が誰何《すいか》しました。

「マークの王がヘルムの門に行かれるのだ。」と、エオメルが答えました。「わたしはエオムンドの息子エオメルだ。」

「これは望んでもないよき便りです。」と、歩哨はいいました。「お急ぎあれ！　敵はすぐ後ろに迫っておりますぞ。」

王の軍勢は堤防の口を通り過ぎ、その上の草の斜面で一休みしました。かれらはエルケンブランドがヘルムの門の守りに多人数を残して行ったこと、そしてさらに多くの者がそこに逃れて来ていることを知って喜びました。

「徒歩《かち》で戦える者は多分千人はいましょう。」堤防の歩哨隊の指揮者であるギャムリングという老人がいいました。「しかしその大部分はこのわたくしのようにあまりに齢を重ね過ぎた者たちか、あるいはここにおりますわたくしの息子の息子のようにあまりにも若すぎる者たちにございます。してエルケンブランド様のことは何かお聞き及びでいらっしゃいますか？　昨日のこと知らせが参りまして、エルケンブランド様は西の谷の最良の騎士たちのうち残った者を引き連れこの地にご退却中ということでございました。ですがまだおいでになりませぬ。」

「今となってはおいでになられぬのではなかろうか。」と、エオメルがいいました。「われらの斥候たちもエルケンブランド殿の消息はまったくつかんでいない。そしてわれらが後にしてきた谷間はすっかり敵で埋まっている。」

「逃げおおせてくれるとよいが。」と、セオデンがいいました。「かれは勇者じゃ。かれの中に槌手王《ついしゅ》ヘルムの剛勇がふたたび甦《よみがえ》ったのじゃ。さりとてここでかれを待つわけにはいかぬ。わが軍をすべて城壁の後ろに引き揚げねばならぬ、蓄えは十分かな？　われらは糧食をほとんど持参しておらぬ。戦いを交えるべく出陣したのであって、籠城《ろうじょう》するためではなかったからな。」

「われらの後方のヘルム峡谷の洞穴には西の谷の民の四分の三がおります。老人に年少者、子供たちに女たちでございます。」と、ギャムリングがいいました。「しかし大量の食糧の蓄え、そしてたくさんの家畜にその飼料もまたそこに集めてございます。」

「それはよかった。」と、エオメルがいいました。「谷間に残ったものは何もかもやつらに焼き払われるか略奪されるかだろうからな。」

「もしやつらがヘルムの門にあるわれらの財産を手に入れようなどと思って来おったら高い値段を支払うことになりましょうぞ。」と、ギャムリングがいいました。

王とその騎士たちはなおも馬を進めて行きました。流れを横断している土手道の手前でかれらは馬から降りました。一列に長い列を作ってかれらは馬の手綱を引きながら坂道を登り、角笛城《つのぶえ》の城門の中にはいって行きました。そこでかれらはふたたび歓呼の声と、望みを取り直した声に迎えられました。なぜならこれで城と防壁の両方に配置するに十分な人手ができたからでした。

エオメルはすぐにてきぱきと部下たちを配備しました。王と王に直接仕える者たちは角笛城にこもりました。ここにはまた西の谷の人間たちも大勢いました。しかしエオメルはかれの所有する兵力の大部分を奥の防壁とその塔、及びその背後に配置しました。というのは、もし襲撃が断乎として行なわれ、その兵力も大きければ、そこの防備は覚束《おぼつか》ないものに思われたからです。馬たちはここから割愛し得る限りの見張りをつけて峡谷の奥深く連れて行かれました。

奥の城壁は高さが二十フィート、また厚さは背の高い人だけが覗《のぞ》ける胸壁で守られた頂を四人の男が並んで歩ける程でした。石造りの胸壁にはあちこちに挟間《はざま》があり、そこから矢を射ることができるようになっていました。この胸壁に出るには角笛城の外庭にある入口から階段を使って降りて来られるようになっていました。そしてここからまた段々を三つ登ると、後ろの峡谷から出ている城壁に達しました。しかし城壁の前面はでこぼこがなく、大きな石と石の継目には足がかりになるものが何一つ見いだせないほど巧みに石組みができていました。そして頂は海の潮にうがたれた断崖のように張り出していました。

ギムリは奥の城壁の上に立って胸壁にもたれていました。レゴラスは胸壁の上に腰を下ろし、弓をもてあそびながら、外の暗がりに目を凝らしていました。

「こういう所のほうがわたしには気に入るんだよ。」ドワーフは石の上で足を踏み鳴らしながらいいました。「山に近くなればなるほど、元気が出てくるのだ。ここにはいい岩があるね。この国には堅固な骨が通っている。堤防からここまで登ってくる途中、それを足で感じたよ。われに一年の時日と百人の同胞を与えよ。そうすればここを敵の大軍がなだれを打って敗退する場所にしてみせる。」

「それは疑わないけど、」と、レゴラスがいいました。「君はドワーフだ。そしてドワーフっていうのは変わった連中だ。わたしはこの場所は好きじゃない。昼の光で見たって好きじゃないだろう。でも、ギムリ、君がいるんで気が強いよ。その頑丈な脚と、堅固な斧を持って君がそばに立ってくれるとほっとするんだ。君の同胞がもっと仲間にいるといいんだけどねえ。だけど闇の森の優れた射手百人のためなら、わたしはもっとでも払うね。ここにはかれらが必要になる。ロヒアリムにもかれら流に優れた弓の使い手がいるけれど、ここにいるのは少なすぎる。あまりにも少なすぎるのだ。」

「弓を射るには暗いよ。」と、ギムリがいいました。「第一眠る時間だ。眠りか！　わたしには眠りが必要だ。それが自分で感じられるよ。かつてどんなドワーフだって感じたことがないくらいにね。馬に乗るのは疲れる仕事だ。だがわたしの斧はわたしの手の中でむずむずと落ち着かない。われに一列に並んだオークの首と、斧を振り回す空間を与えよ、そうすれば疲れなんか吹っ飛ぶんだがなあ！」

時間はゆるやかに経っていきました。はるか下の方の谷間ではまだあちこちに火が燃えていました。アイゼンガルドの大軍は今では音をひそめて進んで来ていました。かれらの持つ炬火《たいまつ》が幾列にもくねくねと列を作って奥谷を登って来るのが見られました。

突然ヘルムの堤防の所から喚声と悲鳴が、そして激しい鬨《とき》の声が起こりました。焔《ほのお》を上げて燃える炬火が堤防の上にいくつも突き出され、また堤防の口にも束《たば》となってむらがりました。やがてそれらは散らばり、消えてしまいました。兵たちが馬を飛ばせて原を越え坂道を登って、角笛《つのぶえ》城の城門まで戻って来ました。西の谷の後衛部隊が追い込まれて来たのでした。

「敵が迫っているぞ！」と、かれらはいいました。「われらは持てる限りの矢を射放ち、堤防の回りをオークどもの死体で埋めた。だが、それではもはや防ぎきれない。敵はすでに堤防のあちこちにはしごをかけて登って来ている。まるで蟻の行列のようにびっしりと。だが思い知らせてやったから、炬火を持ってはまずいと悟ったようだ。」

もう真夜中を過ぎていました。空は真っ暗で、重く澱んだ空気は嵐の近いことを告げていました。不意に目も眩《くら》む閃光がひらめき、雲をも焦がすかに見えました。ぎざぎざに折れた稲妻が東側の丘陵に落ちました。思わず目を見開く一瞬、城壁の上の見張りたちは城壁から堤防までの空間が白い光で照らされるのを見ました。その空間はうようよと黒い姿の者たちの波で埋まっていました。ずんぐりしたのもおれば、丈が高く凄味のあるのもいました。かれらは高い冑《かぶと》をつけ、黒い盾を持っていました。堤防を越え、あるいは入口を通って、まだ何百何千という者たちがなだれこんできます。黒い潮《うしお》は崖から崖を結ぶ二つの城壁に達するまであふれてきました。谷間には雷鳴が轟《とどろ》きわたり、雨が篠《しの》つくように降ってきました。

雨霰《あられ》と降る矢が胸壁越しに唸りをあげて飛んできました。そして音を立てて石にぶつかり、あるいは石をかすめて落ちました。的に当たったのもありました。ヘルム峡谷襲撃がいよいよ始まったのですが、中からは何の物音も挑戦の声も聞かれませんでした。射返してくる矢もありませんでした。

攻手《せめて》は岩と城壁の沈黙の脅威に出鼻をくじかれて一瞬たじろぎました。時々稲妻が闇を引き裂いて閃めきました。するとオークたちは叫び声をあげて槍《やり》や剣を振り回し、胸壁から姿を見せる者があればだれかれとなく矢の集中攻撃を仕掛けました。そしてローハンの騎士たちは呆気にとられて、かれらには一面の黒い麦畑とも見えるものが戦いの嵐にゆすぶられ、穂という穂がぎざぎざの稲光にぴかりと光るのを眺めるのでした。

けたたましいラッパが鳴り響きました。敵軍は押し寄せる波のように前進して来ました。奥の防壁に挑むのもあれば、角笛城の城門に通じる土手道と坂道に向かうのもありました。体の大きなオークたちと褐色人《びと》の国の荒々しい山男たちが呼び集められました。一瞬躊《ため》らいを見せたものの、やがてかれらは突進して来ました。稲妻が閃めき、冑《かぶと》という冑、盾という盾に火と燃える薄気味悪いアイゼンガルドの手の紋印が見られました。かれらは岩の頂に達しました。そして城門に向かって突進しました。

その時ついに応酬がありました。雨霰と降る矢、乱れ飛ぶ小石がかれらを迎えました。かれらは浮足立ち、算を乱して逃げ戻りました。そしてまた攻撃を繰り返し、またまた散り散りに逃げ、ついでまた攻撃を繰り返すという具合でした。そしてその度に、上げ潮の海のように前より高い所に止まるのでした。ふたたびラッパが鳴り響きました。怒号する山男たちの波がどっと躍り出て来ました。かれらは銘々の大きな盾を頭上にかざして一つの屋根を作るかたわら、真ん中に二本の大木の幹をかかえていました。かれらの後ろにはオークの射手が群れをなして控え、城壁にいる弓の使い手目がけて矢を浴びせかけました。男たちは門に達しました。二本の木は強い腕で前後に揺すられて、つんざくような轟音《ごうおん》とともに門の木組みを打ちました。上から投げ落とされる石につぶされて倒れる男がいると、すぐに別の男が二人飛び出して来てかれに代わりました。こうして二本の大きな破城槌《はじょうつい》は繰り返し繰り返し揺すられては大音響とともにぶつかるのでした。

エオメルとアラゴルンはともに奥の防壁に立っていました。二人の耳には怒号する声と、破城槌のズシンズシンという響きが聞こえてきました。そしてその時閃めいた稲妻の中で、二人は城門が危険に瀕しているのを見ました。

「さあ！」と、アラゴルンがいいました。「今こそともに剣を抜く時が参った！」

火花のように二人は防壁に沿って走り、階段を駆け上って、大岩の上に建つ外庭に出ました。二人は走りながら強そうな剣の使い手を何人か呼び集めました。西側の城壁のすみに小さな裏口が開いていました。張り出した断崖が城壁と出会う所です。裏口から城壁と切り立った大岩の縁との間を走る細い通路があって、ぐるっと回りながら大門に達していました。エオメルとアラゴルンは裏口から飛び出しました。そのすぐあとには部下たちが続きました。二木の剣はあたかも一本の剣のように同時に鞘《さや》から抜かれてきらめきました。

「グースヴィネ！」と、エオメルが叫びました。「マークにはグースヴィネ！」

「アンドゥリル！」と、アラゴルンが叫びました。「ドゥネダインにはアンドゥリル！」

側面から打って出て、かれらは山男どもにぶつかって行きました。アンドゥリルは白い火のようにひらめきながら振り上げられ振り下ろされました。防壁と塔からどっと叫び声が上がりました。「アンドゥリルのおでましだ。折れた刃がふたたび輝いたぞ！」破城槌《はじょうつい》をふるっていた者たちは狼狽してかかえている木を取り落とし、戦いに転じました。しかし盾の壁はまるで稲妻にでも打たれたように崩れ、かれらはなぎ払われ、切り倒され、大岩から投げ落とされて、石のごろごろする下の流れに落ちていきました。オークの射手たちはむやみやたらに矢を射放っていましたが、それもやがて逃げて行きました。

しばらくエオメルとアラゴルンは城門の前に佇《たたず》んでいました。雷はもう遠くの方で遠雷の音を響かせるばかりでしたが、遠い南の山々にはまだ稲妻が閃めいていました。膚《はだ》を刺す風がふたたび北の方から吹いてきました。空には千切れ雲が漂い、星が姿を現わし始めました。奥谷を囲む山々の上には西に傾く月が嵐の名残の雲の合間に黄色く輝きながら上っていました。

「少し来方が遅かった。」城門の扉を眺めながらアラゴルンがいいました。大きな蝶番《ちょうつがい》と鉄の横桟はねじれ曲がり、扉にはひびがはいっていました。

「といってもこの扉を守るために城壁の外にいつまでも留まっているわけにはいきませぬ。」と、エオメルがいいました。「見られよ！」かれは土手道を指さしました。すでにオークと人間たちの大群が流れの向こうに集結していました。数本の矢が唸りながら飛んでくると二人のまわりの石にぶつかってはね返りました。「さあ！　中に戻って内側から扉に石を積み桟を渡すのにどうすればいいか考えねばなりません。参りましょう！」

二人は踵《くびす》を返して走りました。ちょうどその時殺された仲間たちの間にじっと横たわっていたオークたちが十人余り、ぱっと立ち上がると音も立てず速かに二人の背後に迫って来ました。そのうちの二人がエオメルの足許に身を投げかけてかれの足を掬《すく》い、あっという間にかれにかぶさりました。しかしそれまでだれも気づいていなかった小さな黒っぽい姿が暗闇から躍り出してきてしゃがれた叫び声をあげました。「バルク　カザド！　カザド　アイ＝メヌ！」斧が振り回されたと思うとさっと戻り、二人のオークは首をなくして倒れ、あとの者は逃げ出しました。（訳註　カザドは、ドワーフ語のドワーフの意。汝らにのぞむはわれぞ、ほどのかけ声）

エオメルはもがきながら立ち上がりました。ちょうどその時アラゴルンもかれを助けようと駆け戻って来ました。

裏口はふたたび閉ざされ、鉄の扉には閂《かんぬき》がかけられ、中には石が山と積まれました。みんなが無事に中に戻ると、エオメルは振り向いていいました。「お礼を申しますぞ、グローインの子息ギムリ殿！　あなたがわれらと一緒に出撃に加わっていたとは知らなかった。だが、招かれざる客が結局は最上の仲間であったということはよくあること。どうやってあそこに出られたのですか？」

「眠気を振り落とそうとあなた方のあとをついて行ったんですよ。」と、ギムリはいいました。「だけどあの山男たちを見ると、わたしにはちょっと大き過ぎるようだったので、わたしは石垣のそばに腰を下ろして、あなた方の剣の勝負を拝見することにしたんです。」

「これに報いるのは容易なことではないでしょう。」と、エオメルがいいました。

「夜が終わるまでに何度も機会が訪れるかもしれませんよ。」ドワーフは笑っていいました。「だがわたしは満足だな。今まではモリアからこっち木のほかには何も切らなかったんですからね。」

「二人！」掌で斧を軽く叩きながら、ギムリがいいました。かれは城壁の上の自分の場所に戻っていました。

「二人だって？」と、レゴラスがいいました。「わたしのほうが成績いいね。もっともこれから使った矢を探してこなきゃならないけど。わたしのはみんな射ってしまったんだ。とはいえ、わたしのほうは総計少なくとも二十人になるよ。だけど、そんなのは森の中の葉っぱが数枚落ちただけのことさ。」

空はいまやにわかに晴れるところで、沈もうとする月が皓々《こうこう》と輝いていました。しかし月の明るさもマークの騎士たちにはほとんど望みらしいものをもたらしてはくれませんでした。向かい合う敵軍は減るどころかむしろ次第に数を増してきたかに見えました。そして堤防の口を通ってさらに大軍が続々と谷間の方から押し寄せていました。大岩への突撃はわずかな休止を置くだけで繰り返されました。城門への攻撃は倍加されました。奥の防壁にはアイゼンガルドの大軍の怒号が海鳴りのように反響しました。城壁の下は端から端までオークたちや山男たちで充満していました。ひっかけ鉤《かぎ》のついたロープが何本も何本も胸壁越しに投げ込まれ、それを切断したり投げ戻したりする間もありません。何百という長いはしごがたてかけられました。投げ落とされて命を落とす者も数知れませんが、さらに多くの者がそれに代わるのでした。オークどもは南の暗い森林に棲む猿《ましら》の如くはしごを駆け登りました。城壁の下には死屍が累々《るいるい》として横たわり、骨の砕けた者も含め浜の真砂《まさご》とも見紛うばかりでした。この見るも恐ろしい死傷者の山がいや高くなっても、敵は依然として後を断ちませんでした。

ローハンの人間たちは疲れてきました。矢はすべて使い果たされ、ことごとく射尽くされました。剣の刃はこぼれ、盾は割られました。アラゴルンとエオメルは三度かれらを招集し、アンドゥリルは決死の突撃に三度火と輝いて、敵軍を防壁から押し戻しました。

その時でした。後ろの峡谷から騒がしい叫声が聞こえてきました。渓流が流れ出している暗渠《あんきょ》を通ってオークどもがどぶねずみのように忍び込んで来たのでした。かれらは崖の下の暗がりに集結し、上で行なわれている襲撃が最も熾烈《しれつ》をきわめ、防衛に当たる者のほとんどすべてが防壁の頂に馳せ参じてしまうのを待っていたのです。そこでかれらは突如として躍り出ました。すでに一部は峡谷の入口を通過し、馬たちの中にはいりこみ、見張りたちと一戦を交えていました。

「カザド！　カザド！」峡谷の崖に響き渡るすさまじい叫び声とともに、ギムリが防壁から跳び降りて来ました。かれはたちまちにして十分な仕事をしました。

「おーい、おい！」と、かれはどなりました。「防壁の後ろにオークがはいりこんだぞ。おーい、おい！　さあ、レゴラス！　二人前たっぷりあるぞ。カザド　アイ＝メヌ！」

ありとあらゆる喧騒を圧して聞こえるドワーフの大きな叫び声を耳にして、ギャムリング老人は角笛《つのぶえ》城から下を見下ろしました。「オークが峡谷にはいったぞ！」と、かれは叫びました。「ヘルム！　ヘルム！　いざ、ヘルムの家《いえ》の子よ！」かれはどなりながら、階段を伝って大岩を駆け降りました。その後には西の谷の男たちが大勢従いました。

この突然の猛攻撃に、オークどもは総崩れとなりました。程なくかれらは峡谷の隘路《あいろ》に閉じ込められ、一人残らずその場で仕止められるか、でなければ悲鳴をあげながら峡谷の奥に逃げ込み、隠された洞穴を守る見張りの者たちに討たれてしまいました。

「二十一！」と、ギムリは叫びました。かれが両手で力ざまに振りおろした一撃で、かれの足許には最後のオークがころがりました。「さてこれでまたレゴラス旦那を追い越したぞ。」

「このねずみ穴を塞《ふさ》がなくてはいけませんな。」と、ギャムリングがいいました。「ドワーフというのは石を扱うのが上手な種族だということじゃ。お力を貸してくだされ、ドワーフ殿！」

「われわれとて戦斧《せんぶ》で石を削るわけでなし、指の爪で削るわけでもない。」と、ギムリはいいま

した。「でもできるだけ手伝いますよ。」

かれらは手の届くところに見いだせる限りの小さな丸石や砕石を集めました。そしてギムリの指示の下に西の谷の男たちは、狭い排水口だけを残して、暗渠《あんきょ》のこちら側の端をすっかり塞いでしまいました。そこで雨でふくれ上がった渓流の水は流れをせきとめられて、渦を巻いて波立ち、それから次第に広がって崖から崖までの間は一面の冷たい池と化してしまいました。

「上の方が乾いてるでしょうよ。」と、ギムリがいいました。「さあ、ギャムリング殿、防壁の方はどうなってるか見に行くとしましょう！」

かれは上に登って行って、アラゴルンとエオメルのかたわらにレゴラスを見いだしました。エルフはかれの長い短剣を研《と》いでいました。暗渠をくぐって入ろうとする試みが阻まれたので、襲撃も一時的に小止みとなっていたのです。

「二十一人！」と、ギムリはいいました。

「天晴《あっぱ》れ！」と、レゴラスがいいました。「だがわたしのほうはもう二十四人だ。ここじゃずっと短剣を使ってたのさ。」

エオメルとアラゴルンは疲れ果てたように銘々の剣によりかかりました。ずっと左の方からは、大岩の上の合戦の叫喚、衝突の音がまたもや大きく聞こえてきました。しかし角笛《つのぶえ》城は海の中の孤島のように依然としてしっかりともちこたえていました。城門の扉はすっかり破壊されていました。しかし内部からわたされた横げたや中に積まれた石の障害物を乗り越えてはいって来る敵は今までのところはまだ一人もいませんでした。

アラゴルンは光の淡い星々に目をやり、それから月に目を移しました。月は今谷間を取り囲む西の丘陵の陰に沈もうとしていました。「今夜は夜の長さがまるで何年にも思えるな。」と、かれはいいました。「夜が明けるまでどのくらい待てばいいのだろう？」

「夜明けはもう遠くはございません。」ちょうど下から登って来て、アラゴルンのかたわらにやって来たギャムリングがいいました。「しかし夜が明けたとてそれでわれらが有利になるわけでもなさそうです。」

「しかし夜明けというものはいつの世も人間の希望だ。」と、アラゴルンがいいました。

「しかしアイゼンガルドの半オークども、リルマンがけしからん技を使ってつくり出したあのゴブリン人間ども、あいつらは太陽にもひるみはせぬでしょう。」と、ギャムリングがいいました。

「褐色人《びと》の国の荒らくれ男にしても同様です。かれらの声が聞こえませぬか？」

「聞こえる。」と、エオメルがいいました。「しかしわたしの耳には鳥の叫び、獣の咆哮《ほうこう》としか聞こえぬな。」

「しかしあの中には褐色人の国の言葉で叫んでいる者が大勢おります。」と、ギャムリングがいいました。「わたくしはあの言葉を存じております。あれは人間の古い言葉の一つで、かつてはマークの西の谷々の多くで話されておりました。そら！　やつらはわれらを憎んでおります。そして喜んでおります。かれらの目にはわれらの運命もすでに窮《きわ》まったと見えるからです。『王を、王を！』かれらはこう叫んでおります。『おれたちはやつらの王を捕えるぞ。フォルゴイルを殺せ！　藁頭《わらあたま》どもを殺せ！　北から来た略奪者どもを殺せ！』やつらはわれらをフォルゴイル、つまり藁頭と呼んでおります。五百年経っても、やつらはゴンドールの王が青年王エオルにマークを与え、かれと同盟を結んだ恨みを忘れておりませぬ。この古い恨みにサルマンが火をつけおったのです。かれらは奮起したとなるとひどく荒々しくなります。今となっては夕闇が訪れようと、夜明けが訪れようと、セオデン様を捕えるか、あるいは自分たちが一人残らず殺されるまでは、とても後には引きますまい。」

「それでもやはり夜明けはわたしに望みをもたらしてくれるだろう。」と、アラゴルンはいいました。「人間によって守られる限り、角笛城《つのぶえ》はどのような敵の手にも落ちたことはないといわれているのではなかったかな？」

「吟遊詩人たちはそう歌っています。」と、エオメルがいいました。

「それではわれらはこの城を守り、望みをもつとしよう！」と、アラゴルンがいいました。

ちょうどこう話している時、ラッパの音が鳴り渡りました。それからズシンという音がして焔《ほのお》と煙が上がりました。渓流の水が音を立てて泡立ちながらどっと流れ出しました。もはや水は塞《せ》きとめられてはいませんでした。防壁が吹き飛ばされてぽっかりと大きな口が開いたのです。

黒っぽい姿の軍勢がなだれこんで来ました。

「サルマンの妖術だ！」と、アラゴルンが叫びました。「われらが話している間に、やつらはまた暗渠《あんきょ》に忍び込み、われらの足の下にオルサンクの火をつけたのだ。エレンディル、エレンディル！」かれはこう叫んで防壁の割れ目に駆け降りて行きました。しかしちょうどその時百本のはしごが胸壁に立てかけられました。防壁の上にも防壁の下にも砂丘に押し寄せる黒い波のように最後の一斉襲撃が襲って来ました。防御陣は一掃されました。騎士たちの中には峡谷の奥へ奥へと押し戻され、討ち死にする者、またもちこたえられず一歩一歩洞穴の方へ向かいながら戦う者もありました。また自ら血路を開きながら城に向かって戻る者もいました。

峡谷から大岩と角笛城の裏門に登って行く広い階段がありました。階段の下近くにアラゴルンが立っていました。かれの手には依然としてアンドゥリルが光芒《こうぼう》を放っていました。そしてこの剣の恐怖がしばし敵を押し止《とど》めました。その間にようやく階段まで到達し得た者は全員次々と裏門に向かって登って行きました。アラゴルンの後ろのもっと高い所にはレゴラスが膝《ひざ》をついていました。かれの弓はひきしぼられていました。しかしかれに残されているのはたった一本の拾った矢だけでした。今かれは目を凝らして、階段に近づこうとするオークがあれば、その一人めを射ってやろうと身がまえていました。

「逃れられる者はみな全員無事に中にはいりましたぞ、アラゴルン。」と、かれは呼びかけました。「戻ってらっしゃい！」

アラゴルンは踵《くびす》を返し大急ぎで階段を登って来ましたが、駆け登ってくる途中、疲労のあまり足許がよろけました。と見るや敵は直ちに飛び出して来ました。オークどもは喚声をあげながら階段を駆け登り、長い腕を伸ばしてかれをつかまえようとしました。先頭のオークが喉元にレゴラスの最後の矢を受けて倒れました。しかし残りの者は死んだ仲間を飛び越えて来ました。その時すぐ上の外側の城壁から投げられた大石が階段にぶつかって落ち、かれらをもとの峡谷に叩きつけました。アラゴルンは入口に辿《たど》り着きました。そして扉はかれがはいるとすぐに音を立ててしまりました。

「形勢利あらずだ、わが友人たちよ。」かれは腕で額の汗を拭《ぬぐ》いながらいいました。

「たしかに。」と、レゴラスがいいました。「しかし、あなたがおられる限り、まだ絶望ではありません。ギムリはどこです？」

「わたしは知らない。」と、アラゴルンがいいました。「最後に見た時には、かれは防壁の背後の地面で戦っていた。だが押し寄せる敵がたちまちわれらを引き離してしまった。」

「ああ、なんという悪い知らせだ！」と、レゴラスがいいました。

「かれは勇敢であり、強くもある。」と、アラゴルンがいいました。「かれが洞穴に逃げ戻ることを望むとしよう。あそこまで行けばしばらくは安全だ。ここより安全だろう。ドワーフの好みにぴったりの避難場所だと思うね。」

「わたしもそう思うことにしましょう。」と、レゴラスがいいました。「だけど、こっちに逃げてくれればよかったなあ。わたしのほうはもう総計三十九に達したとギムリ旦那にいいたかったんだけど。」

「かれが首尾よく洞穴まで戻れたら、またあんたの数を凌駕《りようが》するだろうよ。」アラゴルンは笑っていいました。「斧があんなにさばかれるのを今まで見たことがない。」

「わたしは矢を探しに行かなくちゃ。」と、レゴラスがいいました。「この夜が終わってくれるといいんだが、そうすれば矢を射るのに少しはましな明るさが得られるのに。」

アラゴルンはそれから城塞《じようさい》の中にはいって行きました。そこでかれは、エオメルが角笛城《つのぶえ》に戻っていないことを聞いてあわてました。

「いいえ、エオメル様は大岩にはおいでになりませんでした。」西の谷の兵士の一人がいいました。「わたくしが最後にあの方を見ました時には、兵たちを周りに集め、峡谷の入口で戦っておいででした。ギャムリングがお側にいました。それからドワーフ殿もです。わたくしはお側に参れませんでした。」

アラゴルンは大股に歩を運んで城の中庭を通り過ぎ、塔の上層の部屋に登って行きました。そこには、狭い窓辺に黒っぽい姿を見せて、王が立ったまま谷間を見渡していました。

「戦況はどうなっておるのかな、アラゴルン殿？」と、かれはいいました。

「奥の防壁は奪い取られました。殿よ、守備に当たった者はすべて一掃されました。しかしここ大岩まで逃げた者も大勢おります。」

「エオメルもここにおるのかな？」

「おられませぬ、殿よ。しかし殿のご麾下《きか》の者が多数峡谷に退きました。エオメル殿もその中におられたと申す者もおります。恐らく峡谷の処々方々にある隘路《あいろ》で敵を押し戻し、洞穴の内部に到り着けるものと思われます。そのあとどのような望みをもち得るか、それはわたしにはわかりませぬ。」

「ここより望みはあろう。糧食の準備は十分ということじゃ。それに岩窟《がんくつ》のずっと上には割れ目がいくつもあってそこから空気が通い、中の空気も汚れてはおらぬ。決死の兵《つわもの》どもを相手に中に押し入ることはだれにもできぬ。恐らくかれらは長くもちこたえよう。」

「しかしオークどもはオルサンクから悪魔の道具を持って来ております。」と、アラゴルンがいいました。「かれらは爆破用の火を持っておりました。そしてそれを使って奥の防壁を奪ったのです。かれらは洞穴にはいることができなければ、中におる者を閉じ込めるかもしれませぬ。しかし今はわれらはわれら自身の守りに思いを致さねばなりませぬ。」

「予はこの牢獄でひとりじりじりしておるのじゃ。」と、セオデンはいいました。「槍《やり》を立たせ、わが麾下の者の先頭に立ち戦場を馬で進むことができれば、恐らく予もふたたび合戦の喜びをこの身に感じ、そのまま命を果てることもできよう。だがここでは予はほとんど役に立っておらぬのじゃ。」

「ここでは少なくとも殿はマーク最強の砦《とりで》の中で守られておいでです。」と、アラゴルンがいいました。「エドラスよりも、あるいはさらに山中の馬鍬《まぐわ》砦よりも、ここ角笛城《つのぶえ》に於て、われらは殿をお守りする望みを多くもち得るのです。」

「角笛城はいまだかつて一度も敵の襲撃に落ちたことはないといわれている。」と、セオデンはいいました。「だが、予の心には疑いが生じた。世界は変わり、かつては強国であったものが今はすべてあてにならぬ。いかなる塔であれ、かかる数とかかる向こう見ずな憎しみにどうやって抵抗すればよいのか？　アイゼンガルドの力がこれほど強大になっているのを知っていたなら、ガンダルフがどんな術策を弄《ろう》しようと、それを迎え撃《う》つべくあのように軽々しく出陣はしなかったであろうに。ガンダルフの忠言も今は朝の光の下で思えたほどよいものには思えぬ。」

「殿よ、すべてが終わるまで、ガンダルフの忠言を非難されますな。」と、アラゴルンがいいました。

「終わりは遠くあるまい。」と、王はいいました。「とはいえ、予は罠《わな》にかかった老いぼれ穴熊のようにここで終わりにはせぬぞ。雪の鬣《たてがみ》もハスフェルも、わが近衛兵たちの乗馬もみな内庭《ないてい》におる。夜明けがくれば、予は兵たちにヘルムの角笛を吹き鳴らすように命じよう。そして予は馬を進めるのだ。アラソルンの嫡子よ、その時は予とともに馬を進めていただけるじゃろうか？　われらは血路を切り開くことになるかもしれぬ。さもなければ、歌に歌われる値打ちのある終わりをまっとうすることになろう――と申しても、生き残る者があって、後世われらのことを歌に歌ってくれればのことじゃが。」

「おともいたします。」と、アラゴルンがいいました。

かれは王の許を辞して、城壁の所に戻り、すべての城壁の周囲を一周し、兵たちを元気づけ、襲撃が熾烈《しれつ》をきわめる所では手を貸しました。レゴラスもかれと一緒に回りました。下から焰《ほのお》を上げて爆発する音が石をゆるがして響いてきました。ひっかけ鉤《かぎ》が抛《ほう》られ、はしごが立てられました。繰り返し繰り返しオークどもは外壁の頂に登り着き、防ぎ手たちは繰り返しかれらを下に投げ落としました。


ついにアラゴルンは、飛んでくる敵の矢にもめげず、大門の上に立ちました。そこから外を眺めやるかれの目に東の線が次第に白んでくるのが見えました。それからかれは武器を持たぬ手を談合の印に掌を外に向けて挙げました。

オークどもは喚声をあげて嘲りました。「降りて来い！　降りて来い！」と、かれらは叫びました。「おれたちに話がしたいんなら、降りて来い！　お前たちの王を外に連れて来い！　おれたちは戦闘部隊ウルク＝ハイだ。王のやつが出て来ぬのなら、おれたちのほうから出かけてって、やつを穴から引き出すぞ。こそこそ逃げ回っておるお前たちの王を外に連れて来い！」

「留まるも出てくるも王のご存念だ。」と、アラゴルンはいいました。

「それならお前はここで何してるんだ？」と、かれらは答えました。「何故お前は眺め渡してるんだ？　おれたちがどんなにすぐれた大軍かってことを見たいのか？　おれたちは、戦闘部隊ウルク＝ハイだ。」

「わたしは夜明けを見ようと眺め渡したのだ。」と、アラゴルンはいいました。

「夜明けがどうした？」かれらは嘲っていいました。「おれたちは戦闘部隊ウルク＝ハイだ。おれたちは夜であろうと昼であろうと、天気がよかろうと嵐になろうと、戦いを止めないぞ。おれたちは殺しに来た。日の光だろうと月の光だろうとかまうことねえ。夜明けがどうした？」

「新しい日が何をもたらすかだれにもわからぬ。」と、アラゴルンがいいました。「新しい日がお前たちの禍《わざわい》と転じぬ間に、行ってしまうがいい。」

「降りて来い。さもないとお前を城壁から射落とすぞ。」と、かれらは叫びました。「これは談合であるもんか。お前は何もいうことなんかもっておらんぞ。」

「それでもこれだけはいっておくぞ。」と、アラゴルンは答えました。「いまだかつていかなる敵も角笛城《つのぶえじょう》を落としたことはないのだ。去れ、さもなくばお前たちの一人たりとも容赦されぬぞ。だれ一人生き残って北に便りを持ち帰ることはできぬぞ。お前たちはその身に迫った危険を知らぬのだ。」

敵の大軍を前に、廃墟《はいきょ》と化した城門の上にただ一人立つアラゴルンには偉大な力と王者の尊厳が具《そな》わっていましたので、多くの荒らくれ男どもは躊《ため》らいを見せ、肩越しに谷間の方を見返りました。中には不安そうに空を見上げる者もいました。しかしオークどもは大声を上げて笑いました。

そして城壁越しに唸りをあげて雨霰《あられ》と飛んでくる矢の中をアラゴルンは下に跳び降りました。轟音《ごうおん》とともに火の手が上がりました。かれが今の今までその上に立っていた城門のアーチ形通路がもうもうたる土埃りを上げて粉々に崩れ落ちました。防塁は落雷を受けたように散乱しました。アラゴルンは王のいる塔に駆けて行きました。

しかし城門が落ち、まわりにいるオークどもが喚声をあげて今にも中に攻め入ろうとしたちょうどその時、かれらの背後にざわめきが起こりました。初めは遠くに聞こえる風の音のようでしたが、次第に騒がしくなり、たくさんの声が夜明けに起こった不思議を口々に叫び、その場は一大喧騒と化しました。大岩に登っていたオークどもは驚くべき噂を耳にすると、浮き足立って後ろを見返りました。するとその時、突如としてすさまじく頭上の塔から響き渡ってきたのは、へルムの大角笛《つのぶえ》の音でした。

この角笛の音を聞いた者はすべておののきました。オークどもの多くはうつ伏せに倒れて鉤爪《かぎづめ》のある手を耳に当ててふさぎました。そのこだまは峡谷から次々と反響し合って戻ってきました。まるで崖という崖、丘という丘に強大な告知者が立っているかのようでした。しかし城壁の上では人々は面《おもて》を上げ驚嘆して耳を傾けました。なぜならこだまが消えないからでした。角笛の響きが峡谷を縫って、丘陵の中へ中へと進むほど、そのこだまはより近く、より大きく反響し合い、激烈に、野放図に響き渡るのでした。

「ヘルムだ！ ヘルムだ！」騎士たちは叫びました。「ヘルムが甦《よみがえ》り、戦いに戻って来たぞ。セオデン王の味方にヘルムが！」

その叫び声とともに王が現われました。王の馬は雪のように白く、その盾は黄金色で、手には長い槍《やり》がありました。右手にはエレンディルの世継、アラゴルンが控え、後ろには青年王エオル王家の諸侯が続きました。朝日がぱっと空に射し初《そ》めました。夜は去りました。

「進め、エオルの家《いえ》の子よ！」一声鬨《とき》の声を放つと、轡《くつわ》の音も高らかにかれらは突撃して行きました。とよもすばかりの声をあげて城門から打って出で、破竹の勢いで土手道を渡ると、草の間を吹く風のように、アイゼンガルドの大軍勢の中を突き進んで行きました。背後の峡谷からは洞穴から撃って出て、敵軍を追い立てる仮借《かしやく》ない人間たちの叫び声が聞こえてきました。大岩の上に残っていた者たちも全員なだれをうって出てきました。そして吹き鳴らされる角笛の音はいつまでも山々の間にこだまして止むことがありませんでした。

王とその一行はどんどん馬を進めて行きました。指揮者も戦士もかれらの前にいる者は倒れるか逃げ出すかでした。オークも人間もかれらに立ち向かいませんでした。かれらは背を騎士たちの剣と槍に向け、顔を谷間に向けました。かれらは声を放って叫び、泣き喚《わめ》きました。日の出とともに恐怖と大いなる不思議がかれらを襲ったからでした。

かくてセオデン王はヘルムの門から馬を乗り進め、自らの道を切り開きながら大堤防に至りました。そこで一行は立ち止まりました。あたりは次第に明るくなってきました。東の山々の上には朝日の光の箭《や》が赤々と燃え立ち、槍《やり》の穂先に当たってきらめきました。しかしかれらは馬に乗ったまままものもいわず、じっと奥谷を見下ろしました。

その地は一変していました。前には緑の谷間があって、芝草の斜面が次第に小高くなる丘陵地を包んでいた所に、今はぼうっと浮かぶ森の姿がありました。しーんと静まりかえった大きな裸木が幾列にも幾列にも枝を絡ませ、古さびた頭をもたげ立ち並んでいました。ねじれた根は長い緑の草の中に埋まっていました。木々の下には暗闇がありました。堤防からその無名の森の外れまではわずか四丁ばかりの空地があるだけでした。そこにはサルマンの驕《おご》れる軍勢が今や怖気《おじけ》づいて、王の畏怖《いふ》と木々の畏怖とに挟みうちになっていました。かれらは続々ヘルムの門を下り、ついに堤防から上は一人の敵兵もいなくなりました。しかし堤防から下にはまるで蝟集《いしゅう》する蠅のようにびっしりと敵軍が詰めこまれていました。かれらは奥谷を壁のように取り巻く山々の山腹の周りを這いずりまわって空しく逃げ道を求めるのでした。谷の東側は山腹が切り立った岩壁《いわかべ》になっていました。左手の西側からはかれらを最後の破滅に導くものが近づいていました。

西の尾根の上に突然一人の馬に乗った人が現われました。白一色に身を包み、朝日を受けて輝いていました。低い丘陵を越え、角笛《つのぶえ》が鳴り響いています。かれの後には長い斜面を急いで下りてくる千人の徒歩《かち》の者が続き、手には剣が握られていました。かれらの中に一人背の高いがっしりした男がいて、大股で歩いていました。その盾は赤い色でした。かれは谷の縁まで来ると大きな黒い角笛を口にあて、一吹き高らかに吹き鳴らしました。

「エルケンブランド殿！」騎士たちは叫びました。「エルケンブランド殿だ！」

「白の乗手をご覧！」と、アラゴルンが叫びました。「ガンダルフが戻って来たぞ！」

「ミスランディア、ミスランディア！」と、レゴラスが叫びました。「これはまったく魔法使のしそうなことだ！　さあ！　呪文がとけないうちに、この森を眺めておこう。」

アイゼンガルドの軍勢は喚《わめ》きながら、あちらに波を打ちこちらに波を打って動き、その度に別の畏怖《いふ》にぶつかるのでした。ふたたび塔から角笛が吹き鳴らされました。堤防の口から王の率いる軍勢が撃って出ました。山腹からは西の谷の領主エルケンブランドが躍り出ました。山中を確かな足で走り回る鹿のように飛蔭《とびかげ》が跳び降りて来ました。白の乗手がかれらに立ち向かいました。白の乗手に襲われるという恐怖が敵を狂乱におとしいれました。山男どもはかれの前でうつ伏せました。オークどもはよろけながら悲鳴をあげ、剣も槍も投げ捨てました。黒い煙が山から吹きおろす風に追われるようにかれらは逃げました。泣き叫びながら、待ちかまえる木々の下の暗がりにはいって行きました。そしてその暗がりからふたたび出てきた者は一人もいませんでした。

八　アイゼンガルドへの道

このようにしてセオデン王と白の乗手ガンダルフはうららかな朝の光を浴び、渓流のかたわらの緑の芝草の上で再会したのでした。居合わす者にはアラソルンの息子アラゴルン、エルフのレゴラス、西の谷のエルケンブランド、そして黄金館《こがねやかた》の諸卿《しよきよう》がありました。かれらの周りにはマークの騎馬武者たち、ロヒアリムが集まっていました。驚嘆の念は勝利の喜びをも圧倒し、かれらは一様に目をかの森に向けました。

突然大きな歓声が上がり、峡谷の奥深く追い込まれていた者たちが堤防の所から姿を現わしました。ギャムリング老人に、エオムンドの息子エオメル、そしてこの二人と並んで歩いているのはドワーフのギムリでした。かれは冑《かぶと》をつけておらず、頭の周りに血に染《そ》んだ繃帯を巻いていました。しかしその声は大きく元気に溢れていました。

「四十二だよ、レゴラス旦那！」と、かれは叫びました。「やんぬるかな！　わたしの斧は刃毀《はこぼ》れしてしまった。四十二番目のやつが頭に鉄の首当てをはめてたんだ。あんたはどうだ？」

「君はわたしより一点勝ってる。」と、レゴラスは答えました。「でもわたしは君の勝ちをねたまない。君がちゃんと二本足で立ってるのが見られて、こんな嬉しいことはないもの！」

「よう戻った、わが妹の子エオメルよ！」と、セオデンはいいました。「そなたが無事なのを見て、予はこよなく嬉しいぞ。」

「ご機嫌うるわしう、殿。」とエオメルはいいました。「暗い夜は過ぎ、朝がふたたび訪れました。しかし、この朝は不思議な便りをもたらしましたな。」かれは驚嘆の眼《まなこ》をまず森に向け、それからガンダルフに向けました。「今度もまたあなたは危急の時においでなされた。思い設《もう》けぬことです。」と、かれはいいました。

「思い設《もう》けぬと？」と、ガンダルフがいいました。「わしは戻って来て、ここであなた方に会うといったぞ。」

「しかしその日時の指定はされませんでした。またどのような戻り方をされるかについてもいわれませんでした。げにも不思議な援助をもたらしてくださいました。白のガンダルフよ、なんとあなたは魔法にすぐれておいでなのでしょう！」

「そうかもしれぬ。だが、たとえそうであっても、わしはまだそれを見せてはおらぬ。わしはただ危急に際してよき忠言を与え、飛蔭《とびかげ》の駿足《しゅんそく》を利用したにすぎぬ。それ以上のことをなしたのはあなた方自身の剛勇じゃ。そして夜を徹して歩き続けた西の谷家中の面々の健脚じゃ。」

そこで一同は驚嘆の念をさらに新たにしてガンダルフをみつめました。中には薄気味悪そうにちらりと森に目をやるとまるで自分の目の見るものがガンダルフの目の見るものとは違っているんじゃないかと考えるかのように、目をこする者もいました。

ガンダルフは愉快そうにいつまでも笑っていました。「あの木のことかな？」と、かれはいいました。「いや、あんた方と同じように、わしにもあの森ははっきり見えておる。だが、あれはわしのしたことではない。あれは賢者の忠言をも越えた出来事じゃ。わしの意図した以上のことじゃ。この出来事は結果的にはわしの希望をも上回ることになった。」

「で、あんたの魔法でないといわれるのなら、何者の魔法なのじゃ？」と、セオデンがいいました。「サルマンのではない。それは明らかじゃ。われらがまだその人のことを知らぬ、もっと力ある賢者がおられるのかな？」

「これは魔法ではなく、それよりはるかに古い力でしてな。」と、ガンダルフはいいました。「その力は、エルフが歌い、槌音《つちおと》が響くより早く、この地上を歩いていましたわい。

鉄が見つかるより先、木が伐られるより先に、
月の下に山が若かった頃に、
指輪の作られる先、災いの出でくる先に、
それは、遠い昔に森を歩いていた。」

「してあんたの謎への答じゃが、どういうことなのかな？」と、セオデンがいいました。

「それをお知りになりたくば、わしと一緒にアイゼンガルドに来られるべきです。」と、ガンダルフは答えました。

「アイゼンガルドへ？」一同は叫びました。

「さよう、」と、ガンダルフはいいました。「わしはアイゼンガルドに戻るが、来たい者はわしと一緒に来るがよい。いろいろ不思議なものが見られるかもしれぬぞ。」

「だがサルマンの拠点を襲うには、わが国の兵力は十分ではない。たとえ全員を結集し、手傷も疲労もことごとく癒《い》えたにしてもじゃ。」と、セオデンがいいました。

「それでもやはりアイゼンガルドにわしは行きますぞ。」と、ガンダルフはいいました。「かの地に長くは留まりません。わが進むべき道は今度は東を向いておるのです。月が欠けてくる前に、エドラスでわしをお待ちいただきたい！」

「いや！」と、セオデンがいいました。「夜明け前のあの暗澹《あんたん》たる時刻には予も迷ったが、もうあんたとは離れぬ。もしこれがあんたの忠言なら、予も一緒にまいるぞ。」

「わしは今となったらできるだけ早く、サルマンと話をしたいのです。」と、ガンダルフはいいました。「そしてかれは殿に大きな痛手を与えたのですから、殿もおいでになるのが適当でありましょう。じゃが、どのくらい早くお出かけの用意ができ、どのくらいの速さで馬を進めることがおできでしょうか？」

「兵たちは合戦で疲れ果てておる。」と、王はいいました。「予も疲れた。遠くまで乗り続け、ほとんど眠らなかったからじゃ。無念じゃのう！　予の老衰は装うたものでもなく、蛇の舌の囁《ささや》きによるばかりでもない。どんな医師にも、たとえガンダルフであろうとも完全には癒《いや》せぬ病《やまい》なのじゃ。」

「それではわしと一緒に行く者は、全員今のうちに休んでもらうことにしよう。」と、ガンダルフがいいました。「わしらは夕闇に紛れて旅立つとしよう。それもまたよかろう。何故ならわしからの忠言としていっておくが、これから先わしらの往き来はすべてできるだけ人目に触れぬものにしたいのじゃ。ところで、セオデン殿、多数の者に随行をお命じになりませぬよう。わしらは談合をしに行くのであって合戦をするためではござらぬから。」

王はそこで手傷を負っていない者の中から足の速い馬を持つ者たちを選び、勝利の知らせをかれらに託してマークの谷間という谷間に遣《つか》わしました。かれらはまた老いも若きも男という男はすべてエドラスに馳せ参ずるようにという王の召し出しの言葉をも携えていました。その地においてマークの王が満月から二日めに武器を取れる限りの者を集めて集会を催されるというのでした。アイゼンガルドにともに馬を進める者としては、王はエオメルと近衛士官二十人を選びました。ガンダルフとともに行く者はアラゴルンにレゴラス、そしてギムリでした。傷を負っているにもかかわらずドワーフはあとに留まろうとはしませんでした。

「なあに、ほんのかすり傷さ、それも帽子でそらしたんだ。」と、かれはいいました。「あれしきのオークめのひっかき傷でこのわたしが引き下がるもんか。」

「あんたが休んでいる間に、わたしが手当てをしてあげよう。」と、アラゴルンがいいました。

そこで王は角笛城《つのぶえ》に戻り、そこで眠りました。王にとってはここ何年来覚えのないほど心安らかな眠りでした。そして王が選んだ一行も休息をとりました。しかしそれ以外の者で手傷を負っていない者は全員大仕事にとりかかりました。何故ならこの闘いで討ち死にした者、草原に峡谷に倒れている者が大勢いましたから。

オークは一人として生き残った者はおらず、その死屍《しし》は累々《るいるい》として数えきれませんでした。しかし山男たちの大多数は降伏し、いくじなく泣き叫びながら慈悲を乞うのでした。

マークの人間たちはかれらから武器を取り上げて働かせました。

「お前たちも加担した悪事の償いをするために手を貸してくれ。」と、エルケンブランドがいいました。「そして今後二度とふたたびアイゼンの浅瀬を武装して渡らぬ、また人間の敵とともに進軍はせぬと誓ってもらうぞ。そのあとなら自由に自分の土地に戻るがいい。何故ならお前たちはサルマンにだまされていたからだ。かれを信じた代償にお前たちの多くが死ぬ羽目になった。だが、たとえお前たちが勝利を得たにしろ、お前たちの報償は大して変わるまいぞ。」

褐色人《びと》の国の男たちはびっくりしました。サルマンからローハンの人間は残酷で捕虜を生きたまま焼いてしまうと聞いていたからです。

角笛城の前の広野の中程に塚が二つ築かれました。そして城を守備して倒れたマークの騎士たちのすべてがこの下に葬られました。一方には東の谷々から来た者たち、もう一方には西の谷の者たちでした。角笛城《つのぶえじょう》の影の下に一つぽつんと離れた墓には、王の近衛隊長ハマの亡骸《なきがら》が置かれました。かれはヘルムの門の前で討ち死にしたのです。

オークたちは人間の塚から離れ、かの森の外れから程遠からぬところに、いくつも大きな山をなして積まれました。そして人々は思わず心に困惑を覚えました。オークたちの死屍《しし》の山はあまりにも大きく、埋めることも、焼くことも不可能だったからです。燃やすべき薪はほとんどありませんでした。あの不思議な木々にあえて斧を入れようとする者は一人としていなかったでありましょう、樹皮一枚、枝一本傷つけても命にかかわるとガンダルフから警告されずにいたとしても。

「オークは眠らせておけ。」と、ガンダルフはいいました。「朝になったらよい知恵もわこう。」

午後になると、王の一行は出発の準備を整えました。埋葬作業はその時まだ始まったばかりでした。そしてセオデンは近衛隊長ハマを失ったことを悼《いた》み、自らその墓に最初の土をかけました。「サルマンめ、予とこの国全土にまこと大きな痛手を与えたものよ。」と、かれはいいました。「互いに相会うた時には、このことを忘れぬぞ。」

太陽がすでに奥谷の西側の丘陵に近づく頃、ようやくセオデンとガンダルフとの一行は堤防から馬を乗り進めて行きました。かれらのあとにはたくさんの人々が集まっていました。騎士たちだけではなく、西の谷の民もいました。老人に少年、女、子供がみんな洞穴から出て来たのでした。澄んだ声でかれらは勝利の歌を歌いました。それからふっと黙りこみました。これから何が起こるのかと思いまどったのです。民たちは目にかの森の木々をみとめて、心に恐れを覚えたためでした。

騎士たちはかの森にやって来ました。そしてかれらは立ち止まりました。馬も人間もこの森に足を踏み入れる気になりませんでした。木々は灰色をして脅かすように見えました。そして影とも靄《もや》ともつかぬものがその周りに立ちこめていました。地をはうばかりに大きく広げた大枝の先はまるで何かを探る指のように垂れていました。また木々の根は見慣れぬ怪物の四肢のように地面から持ち上がり、その下には暗い洞穴がぽっかりと口を開いていました。しかしガンダルフは一行の先頭に立ってどんどん進んで行きました。すると角笛城からの道が木々と出会う所に、一同はまるでアーチ門のような口が大きな枝々の下に開くのを見ました。先ずガンダルフがはいって行きました。一同もかれに従いました。そして驚いたことには、道はそのまま続き、おまけにヘルム峡谷から流れ出た谷川がそのそばを流れていくではありませんか。頭上には空が開け、金色の光に溢れていました。しかし両側の森の側廊《そくろう》はすでに夕闇に包まれ、見透かすことのできぬ暗がりの中へとのびていました。そしてかれらは木々の枝が軋《きし》み呻《うめ》く声を聞きました。また遠い叫び声や、怒ったように呟く言葉にならぬ声のような音を聞きました。森の中には一人のオークも、何の生きものも見られませんでした。

レゴラスとギムリはいま一つの馬に相乗りしていました。そしてガンダルフのそばにぴったりついて離れませんでした。というのもギムリがこの森を怖がったからです。

「ここは暑いですね。」レゴラスがガンダルフにいいました。「恐ろしい怒りが周りを取り囲んでるのが感じられますよ。空気が脈を打って震えているのが耳に感じられませんか？」

「感じる。」と、ガンダルフがいいました。

「あの惨めなオークどもはどうなったんでしょうね？」と、レゴラスがいいました。

「そのことはだれにも永遠にわからんじゃろう。」とガンダルフはいいました。

一同はしばらくの間黙々と馬を進めました。しかしレゴラスは乗りながらいつまでも左右に目をやることを止めませんでした。もしギムリさえ許したら、かれは度々立ち止まって森の物音に耳を傾けたでしょう。

「こんな変わった木は今まで見たことがない。」と、かれはいいました。「たくさんの樫の木がどんぐりから育ってやがて朽ち果てていくのを見てきたわたしなんだけど。この森の中を歩き回る暇があるといいのになあ。ここの木は声を持ってるもの。それを聞いてたらそのうちかれらの考えてることがわかるようになるかもしれない。」

「だめだ、だめだ！」と、ギムリがいいました。「ここを離れよう！　かれらの考えてることなんかわたしにはとっくに見当がついてるよ。二本足で歩く者すべてへの憎しみだ。かれらの話していることは押しつぶすこと、絞め殺すことだよ。」

「二本足で歩く者すべてではないさ。」と、レゴラスはいいました。「そこのところは君がまちがってると思う。かれらが憎んでるのはオークたちなのだ。何故って、かれらはこの土地の木ではなく、エルフや人間のことをほとんど知らないからだ。ずっと遠くにかれらが生まれ出た谷がある。ギムリよ、わたしが思うには、かれらがやって来たのはファンゴルンの深い谷間からだろうよ。」

「それなら中つ国《なかつくに》で一番危険な森じゃないか。」と、ギムリがいいました。「わたしはかれらが果たした役割には当然感謝するよ。だけど好きにはなれないな。あんたはかれらのことをすばらしいと思うかもしれないが、わたしはこの土地でもっとすばらしいものを見てきたんだ。この世にかつて存在したどんな林よりも、どんな樹間の空地よりも美しいんだ。わたしの心は今でもその思い出でいっぱいだ。

「人間のすることなすことは、奇妙なものだなあ、レゴラス！　人間たちはこの地に北方世界の驚くべき宝の一つを持っている。それのことをかれらはなんといっていると思う？　洞穴だとさ！　洞穴などとほざいてるんだよ！　戦争の時に逃げ込む穴なのさ。まぐさを蓄える穴なのさ！　ねえ、レゴラス君、あんたはヘルム峡谷の洞窟が限りなく広く美しいことを知ってるか？こんなものがあるってことが世に知れていたら、一目これを見ようとドワーフの拝観者がひきも切らず続くだろうよ。うーん、そうだ、一目見るためにはまじりっけなしの金《きん》だって支払うさ！」

「わたしなら中にはいるのを勘弁してもらうために金を払うね。」と、レゴラスがいいました。

「出してもらうためには倍だって払うよ。もし迷い込んだ場合にはね！」

「あんたは見てないんだから、そんなことをいってからかうのも許してやるけど。」と、ギムリはいいました。「でもそんな阿呆らしいことをいうなよ。あんたは、闇の森の丘の麓《ふもと》にあんた方の王が住まっているあの館《やかた》を美しいと思ってるか？　あれを作るには遠い遠い昔ドワーフも手を貸したんだけど。あんなのはわたしがここで見た洞窟にくらべればほんの掘立小屋だよ。広大な大広間がいくつもいくつもあって、それがリンリンと鈴のような音を立てて滴《したた》り落ち池となる、尽きることのない水の音楽に充たされているんだ。その池の美しいこと、星明かりに照らされたケレド＝ザラムにも並ぶくらいだ。

「そしてね、レゴラス、炬火《たいまつ》に火が点《とも》され、人々がこだまする円天井《まるてんじょう》の下の砂の床を歩くだろう、ああ！　するとね、レゴラス、宝石や水晶や貴金属の鉱脈が磨かれた壁面に現われてぴかぴか光るのだ。それから襞《ひだ》のある大理石を透かして明かりが燃えるのだ。ちょうど貝殻を透かすようにね。ガラドリエル様の現身《うつしみ》の御手のように透き通ってるんだよ。それから、レゴラス、円柱がある。白に鮮やかなサフランの黄色、暁のばら色、それらが夢のような形にねじれたり、溝がついたりしてるのだ。それらの柱はさまざまな色合いの床からにょきにょきとのびて、天井から下がっているきらめく吊飾《つりかざ》りと出会っててね。その吊飾りは、翼のように張り出してるのもあり、ロープのように垂れてるのもある。また凍った雲とも見紛うばかりの目の細かなカーテンもある。槍《やり》があり旗があり、吊下げられた宮殿の尖塔がある！　静まりかえった湖がそれを映してるんだ。ちらちらと光を放つ世界が透明なガラスでおおわれた暗い池から上を見てるんだ。町また町。ドゥリンがその眠りにおいてすらほとんど想像もできなかったような町が大通りを通り、柱で支えた中庭を通り、どこまでも続き、しまいにどんな光も届かぬ暗い奥のくぼみに終わる。それからポッン！　銀の雫《しずく》が一滴落ちる。するとガラスに丸い波紋が広がって、塔という塔がゆがみ、まるで海の岩屋の中の海草や珊瑚《さんご》のように揺らぐのだ。やがて夕方がくる。すると水の中の姿は光が薄れ、きらめきも消える。炬火は別の部屋、別の夢の中にはいっていく。ねえ、レゴラス、部屋また部屋、そして広間は広間に続き、円天井のあとに円天井がつぎ、階段の向こうにまた階段が連なる。それでもなおくねくねと折れ曲がる道は山脈の中心部まで続いてるのだ。洞穴だって！　ヘルム峡谷の洞窟がだよ！　偶然あそこまで追われて行ってもうけもんだった！　あそこを去ると思うと涙が出てくるよ。」

「それなら君の心の慰みにわたしは君にこの幸運を願うとするよ、ギムリ君」と、エルフはいいました。「どうぞ君が戦いから無事に戻れて、ふたたびその洞窟を見られますように。だけど君の一族郎等には話しちゃだめだ！　君の話から察すると、ドワーフたちのすることはほとんど残ってないようだもの。この国の者たちがあまりしゃべらないのは多分賢明なことだろうね。働き者のドワーフが槌《つち》と鑿《のみ》を持ってたった一家族やって来るだけでも、作るより損《そこな》うことになるかも知れない。」

「いいや、あんたにはわかってないんだ。」と、ギムリがいいました。「どんなドワーフだってあのような美しさには心を動かさずにはいられないさ。ドゥリンの末裔《まつえい》ならだれ一人あそこの洞窟を掘って石や鉱石を得ようとはしないだろうよ。たとえあそこでダイヤモンドや金が採れようともね。あんたたちは春の花盛りの木々の茂みを伐って薪にするかね？　われわれは林間の空地のように花咲く石にかこまれた岩屋の手入れこそすれ、石を切り出したりはしないよ。鑿を一打ちずつそっと当てていくんだ。慎重な腕前を見せてね——多分はらはらしながら丸一日かかってやっと小さな岩のかけらを削り取るくらいだよ——そうやって働いて何年か経つだろ、そうしたらいくつも新しい道が開けて、今は岩の割れ目からちらと覗《のぞ》いたところではただ真っ暗な空間としか見えない奥の部屋部屋を露わにするのだ。それから明かりもだよ、レゴラス！　明かりをつけなくちゃ。かつてガザド＝ドゥムを明るく照らしていたような明かりをね。そしてわれらの望みのままにそうしたいと思えば、山々が造られた時からあそこに横たわっている夜を追い払ってしまうし、休息が欲しいなあと思う時にはまた元の夜に戻すのだよ。」

「ギムリ、君はわたしの気持ちを動かすね。」と、レゴラスがいいました。「君がこんなふうにしゃべるのは今まで一度も聞いたことがない。君の話を聞いてると、もう少しで、その洞窟を見なかったことが残念に思えてくるくらいだよ。よし！　こういう取りきめにしよう——もしわれら二人が、われらを待つ危険から無事に戻って来られたら、二人で一緒にしばらく旅をしよう。君はわたしと一緒にファンゴルンを訪ねる。そうしたらわたしも君と一緒にヘルム峡谷を見に行くから。」

「それはわたしが選ぶ帰り道ではないけど、」と、ギムリがいいました。「我慢してファンゴルンに行くことにするよ、もしあんたが洞窟まで戻ってわたしと驚きをわかってくれると約束してくれるならね。」

「君に約束するよ。」と、レゴラスがいいました。「だが、残念だなあ！　もうこれでしばらく洞窟も森もあとにしなければならないんだ。ほら！　もう森の外《はず》れだよ。アイゼンガルドまでどのくらいあるんですか、ガンダルフ？」

「約十五リーグじゃな、サルマンの鴉《からす》が飛ぶように直線距離にして。」と、ガンダルフがいいました。「奥谷の口から浅瀬までが五リーグ、そこからアイゼンガルドの門までが十リーグじゃ。しかし今夜のうちに全道程をこなすことにはなるまい。」

「向こうへ行くと、何が見られるんですか？」と、ギムリがたずねました。「あなたは知ってらっしゃるかもしれないけど、わたしには見当もつかないんです。」

「わし自身にもしかとはわからぬのじゃ。」と、魔法使は答えました。「わしは昨日の夕暮れあそこにおった。じゃがそれからあと多くのことが起こったかもしれぬ。しかしあんたもこの旅が得るところなしとはいわぬじゃろうて。——たとえアグラロンドの燦光洞《さんこうどう》をあとにしてもじゃ。」

ついに一行は木々の間を通り過ぎ、奥谷の一番低い所に来ました。ヘルム峡谷からの道はここで二つに分かれ、一つは東のエドラスへ、もう一つは北のアイゼンの浅瀬へ向かっていました。森の外れの張り出した枝の下から馬を乗り進める時、レゴラスは立ち止まって、残念そうに後ろを見返りました。それから不意に叫び声をあげました。

「目があるッ！」と、かれはいいました。「枝の影から目が覗《のぞ》いてる！　あんな目、今まで見たこともない。」

他の者たちもかれの叫び声に驚き、立ち止まって振り向きました。ところがレゴラスはまた元の所に戻ろうとし始めたのです。

「いけない、いけない！」と、ギムリが叫びました。「あんたは勝手にばかなまねをするがいいけど、その前にまずわたしを馬から降ろしてくれ！　わたしは目なんか見たくないんだ！」

「待て、緑葉《みどりば》のレゴラスよ！」と、ガンダルフがいいました。「森に戻ってはならぬ！　今はまだならぬ！　今はまだあんたの出番ではないのじゃ。」

かれがこういった折りも折り、木々の中から奇妙な姿をした者たちが三人進み出て来ました。かれらはトロルのように背が高く、身の丈は十二フィートかあるいはそれ以上もあり、その強そうな体は若い木々のように頑丈で、ぴったり身に合った灰色と茶色の衣服とも樹皮ともつかぬもので包まれていました。かれらの四肢は長く、手にたくさんの指があり、髪の毛は強《こわ》く、顎鬚《あごひげ》は苔のように灰色がかった緑色をしていました。かれらはものものしげに目をじっと凝らして見ていましたが、馬に乗った一行の方を見ていたのではなくて、目は北に向けられていました。不意に三人は長い手を口のところに持ってくると、朗々たる声で呼び声を発しましたが、それは角笛《つのぶえ》の音色《ねいろ》のようによく徹《とお》り、それよりさらに音楽的で変化に富んでいました。呼び声には応答がありました。馬に乗った一行は再度向き直って、同じような生きものが何人か草の間をすたすたと歩きながら近づいて来るのを見ました。かれらは北の方から足早にやって来ました。その歩き方はまるで水を渉《わた》る鷺《さぎ》のようでしたが、速さは別でした。何故なら長い歩幅で歩くその脚は鷺の翼が打つより速い歩調をとっていたからです。乗手たちはいぶかしさのあまり大声をあげ、中には刀の柄《つか》に手をやる者もいました。

「武器は必要なし。」と、ガンダルフがいいました。「ただの牧人《まきびと》たちじゃ。かれらは敵ではない。第一わしらのことなどまったく気にもかけておらんわい。」

たしかにそうらしく思えました。何故ならかれが話している間に、背の高い生きものたちは騎士たちの一行にはちらとも目をくれず、大股に森の中に歩み入って姿を消してしまったからです。

「牧人じゃと！」と、セオデンがいいました。「かれらの家畜はどこにおる？　かれらは何者かな、ガンダルフよ？　ともかくあんたにとっては明らかに未知の存在でない者たちじゃな。」

「かれらは木々を牧する牧人ですのじゃ。」と、ガンダルフは答えました。「殿が炉端《ろばた》で昔話を聞かれたのはさほど遠い昔のことでしたかな？　殿のご領地には、絡《から》まり合った物語の糸の中から殿のご質問への答を拾い出せる子供たちがおりましょう。おお、王よ、殿はエントをご覧になったのじゃ。あなた方の言葉でエント森と呼ばれておるファンゴルンの森から出てきたエントのことですぞ。これはただの絵空事《えそらごと》につけられた名前とお考えでしたかな？　いいや、セオデン殿、そうではありませぬ。かれらにとってこそあなた方のことは束の間《つかのま》に過ぎゆく話にすぎぬのです。青年王エオルからセオデン老王に至るまでの長の年月ものの数にはいりませぬし、ご当家の数々のご功業も取るに足りぬ些事《さじ》にすぎませぬ。」

王は黙っていました。「エントか！」ようやくかれは口に出していいました。「定《さだ》かならぬ伝説の薄闇の中から、予はこの木々の不思議をいくらか理解し始めたように思う。勝手違ったおかしな時代に相逢うたものよ。遠い昔からわれらはおのが獣と畑の世話をし、家を建て、道具を使い、あるいは遠く馬を進めてミナス・ティリスの戦いを支援してきた。そしてわれらはこれを人間の暮らし、この世のしきたりと呼んでおった。われらは国境《くにざかい》の外にあるもののことはほとんど気にもかけないでおった。われらにもこれらのことを歌った歌はある。だがわれらはそんな歌の意義は忘れ、気にもとめず、しきたりとして子供たちにのみ教えてきた。ところがどうじゃ。この歌が不思議な場所から出て、われらのところにやって来た。天《あめ》が下《した》を歩いておるのがこの目に見えるのじゃ。」

「セオデン王よ、殿は喜ばれるべきじゃ。」と、ガンダルフがいいました。「何故といえば、今や人間のわずかな命だけが危険にさらされておるのではなく、殿が伝説の中のことと見做《みな》しておられたものたちの命もまた例外ではない。あなた方には味方がないわけではないのじゃから。たとえ殿のほうでかれらのことをご存知なくとも。」

「それでもやはり予の悲しみは変わるまいぞ。」と、セオデンはいいました。「戦いの運命がいかになろうとも、戦いが終わることにより、かつて美しくすばらしかったものの多くがこの中つ国《なかつくに》から永遠に消え失《う》せることになるのではなかろうか？」

「恐らくそうなりましょう。」と、ガンダルフはいいました。「サウロンのなした悪は完全には癒《いや》されぬもの、存在しなかったようにはできぬものじゃから。さりながらわしらはかかる時代に遇《あ》うべく宿命づけられておりました。今はわしらののりだしてしまった旅を続けようではありませぬか！」

一行はそこで奥谷から、またかの森から方向を転じ、浅瀬への道をとりました。レゴラスは渋々ついて行きました。夕日は、世界のふちのかなたにとすでに没していました。しかし一行が山の影から出て、西のローハン谷の方を見渡すと、空はまだ赤く、漂う雲の下に燃えるような光が見られました。その夕焼空に黒々とたくさんの黒い翼の鳥たちが旋回して飛んでいました。中には陰気な叫び声をあげながら一行の頭上を飛んで、岩山の自分たちの住居《すまい》に戻るものもいました。

「腐肉あさりの鳥どもめ、戦場でかせぎおったな。」と、エオメルがいいました。

かれらは今は馬の歩調を落としゆっくり進んで行きました。周りの広野にも夜の帳《とばり》が降りました。おそい月が上ってきました。もう満月に近い月で、その冷たい銀色の光に照らされて、起伏する草原が広い灰色の海のようにうねっていました。分かれ道のところから四時間ばかりも乗った頃、一行は浅瀬に近づきました。長い斜面を下りていくとすぐに、草の生えた高い段丘の間の、石の多い浅瀬の流れる広い川原に出ます。風に乗って狼どもの遠吠えが聞こえてきました。一行の心は重く沈みました。この場所で討ち死にした大勢の仲間たちのことを思い出したからです。

道は芝草におおわれた小高い土手と土手の間で落ち込み、川のふちまで段丘を切り開いて、向こう岸でふたたび上りになっていました。流れを横切って平たい飛石が三列に置かれていて、その間に馬を渡す浅瀬があり、川の両岸からそれぞれ流れの中程の裸の離れ小島に達していました。この渡し場を見下ろして立つ一行の目には、川はいつもと違うように思われました。浅瀬はいつもなら勢いよく石を洗うせせらぎの音が絶えぬ所なのですが、今はなんの水音も聞こえてこないのです。川床はほとんど乾きかけて、砂利や灰色の砂が一面にむきだしになっていました。

「ここは侘《わび》しい場所になったな。」と、エオメルがいいました。「どんな病《やまい》がこの川にふりかかったというのだろう？　数々の美しいものをサルマンは滅ぼしてきた。かれはアイゼンの源の水をも呑み尽くしてしまったのだろうか？」

「そうのようじゃな。」と、ガンダルフがいいました。

「ああ！」と、セオデンはいいました。「どうあってもこの道を通らねばならぬのか？　腐肉あさりの獣どもがあんなにも多くのわがマークの騎士たちを貪《むさぼ》り喰《く》らってるところを。」

「これがわしらの進むべき道です。」と、ガンダルフはいいました。「殿のご家来方の討ち死には悲しみても余りあることながら、少なくとも山の狼どもの貪り喰らうところとなっておらぬことはおわかりになろう。かれらが今馳走にあずかっておるのは、かれらの仲間オークたちじゃ。まったくあの手合いの友情などというものはこうしたものよ。さあ！」

一行は川に下りて行きました。かれらが近づくと狼たちは咆哮《ほうこう》をやめて、こそこそと逃げて行きました。狼たちは月光を浴びたガンダルフの姿と銀色に輝くかれの馬飛蔭《とびかげ》を見てたちまち恐怖に打たれたのでした。騎馬の一行は小島まで渡って行きました。狼たちの光る目は土手の暗がりから青っぽく光ってかれらを見ていました。

「見られよ！」と、ガンダルフがいいました。「味方の力戦奮闘したあとを。」

見ると、小島の真ん中に一つの塚が築かれていました。周りを石でかこみ、たくさんの槍《やり》が植えられていました。

「この場所の近くで討ち死にしたマークの人間たち全員がここに眠っておる。」と、ガンダルフがいいました。

「かれらをここに眠らしめよ！」と、エオメルがいいました。「かれらの槍は錆《さ》び朽ちようとも、かれらの塚は永遠《とわ》に崩れることなくアイゼンの浅瀬を守り給え！」

「わが友ガンダルフよ、これもまたあんたがやってくださったことか？」と、セオデンがいいました。「一晩《ひとばん》と一夜《ひとよ》のうちにあんたはよくもたくさんのことをなしとげたもんじゃ！」

「飛蔭《とびかげ》のおかげで――また、ほかの助力もあって、」と、ガンダルフがいいました。「わしは速く遠く馬を進めましたからな。じゃがここのこの塚のかたわらでこれだけは申し上げておこう。殿のお気持ちを安んじるために。浅瀬の合戦で多数が討ち死にした。しかしその数は噂にのぼったよりは少なく、殺された者より追い散らされた者のほうが多かった。かれらの中からわしは見いだし得る限りの者を集め、一部は西の谷のグリムボルドとともに送り出して、エルケンブランドの部隊と合流せしめ、一部は、この埋葬《まいそう》の仕事をなさしめたのじゃ。かれらも今は殿の軍団長エルフヘルムに従っておる。わしは多くの騎兵をつけてかれをエドラスに送った。わしの知るところでは、サルマンはその所有する兵力の全員を殿の攻撃に送り出し、かれの召使どもは他のあらゆる用件をなげうってヘルム峡谷に向かった。ために他の土地には敵の姿は見えないがごとくじゃった。とはいえわしは狼乗りや略奪者どもが、守る者がないのを幸いにメドゥセルドに出かけて行くのではないかと懸念した。しかしもう殿もご心配なさるに及ばぬでしょう。殿はご帰還を迎える居城を見いだされよう。」

「わが城がふたたび見られるとは、めでたいことよ。」と、セオデンはいいました。「もっとも今度予があの城に留まるのはほんの時《とき》の間《ま》にすぎまいことは確かじゃが。」

その言葉とともに一行は島と塚に別れを告げて川を渡り、向こう岸の土地を登って行きました。それから一行はこの物寂しい浅瀬をあとにすることを心に喜びながら、道を続けました。かれらが行ってしまうと、狼どもがまた吠え出しました。

アイゼンガルドから浅瀬の渡しまで古い公道が通っていました。しばらくの間この道は川と並んで走っていて、川に沿って東に折れ、それから北に折れていました。しかし最後には川から外《そ》れて真っ直アイゼンガルドの門に向かっていました。この門は谷の西方にある山腹の麓《ふもと》にあり、谷の口から十六マイルかそこいら中にはいった所にありました。一行はそこへ向かいましたが、路上に馬を走らせることはしませんでした。道のわきの地面が固くてでこぼこがなく、何マイルにもわたって萌《も》え出たばかりの短い芝草におおわれていたからです。今度はかれらは今までよりもっと速く馬を進めました。そして真夜中までに浅瀬はもう五リーグ近くも後になりました。それからかれらは馬を止め、夜の旅を終わらせました。王が疲れていたからです。かれらは霧ふり山脈の麓に来ていました。そこにはナン・クルニアの長い両腕がかれらを出迎えるように差し伸ばされていました。谷間は黒々とかれらの前に横たわっていました。月が西に移り、山々の陰に光が隠れてしまったためでした。しかし谷間の深い闇の中から大きな渦巻きを描いてもくもくと煙と水蒸気が立昇っていました。渦巻きは上りながら、沈む月の光を受けて、かすかに光りながら波のように広がり、星空を黒と銀色でおおいました。

「あれをどう思いますか、ガンダルフ？」と、アラゴルンがたずねました。「まるで魔法使の谷がすっかり燃えてるようですね。」

「あの谷間の上にはこの頃はいつでも煙霧があるのですが、」と、エオメルがいいました。「今夜のようなのは見たことがありません。煙というより蒸気ではありませんか。サルマンのやつ、わしら一行への挨拶代わりに何か妖術を企《たくら》んでいるのですね。もしかしたらアイゼン川の水をすっかり沸かしてるのかもしれませんね。それで川の水が涸《か》れたんですよ。」

「そうかもしれん。」と、ガンダルフはいいました。「明日になればかれの仕業が分かるじゃろう。さあここでできればしばらく休むとしようか。」

一行はアイゼン川の川床のそばに野営をしました。川は依然として音もせず水もありませんでした。少しは眠った者もいます。しかし夜も遅くなってから、見張りの者たちが大声をあげ、みんな目を覚ましました。月はすでに沈み、頭上には星が輝いていました。しかし夜よりもさらに黒い闇が地を這っていました。それは川の両側をかれらの方に向かって北の方へと進んでくるところでした。

「そのまま動くな！」と、ガンダルフがいいました。「剣を抜くな！　待っておれ！　通り過ぎるから！」

かれらの周りには靄《もや》が立ちこめてきました。頭上にはまだいくつかの星々がかすかにまたたいていました。しかし両側には一寸先も見えぬ暗闇が壁のように立ちはだかっていました。一同は移動する闇の塔たちにはさまれた一条の狭い小路にいるのでした。かれらは声を聞きました。囁《ささや》く声、呻《うめ》く声、そしてざわめくような絶間ない吐息。大地はかれらの足の下で揺れました。心配しながらじっと坐って待っている時間は、一同にはとても長く思われました。しかしこの暗闇とざわめきもついに通り過ぎ、山の両腕の間に消えていきました。

ここから南に隔たった角笛城《つのぶえ》では、真夜中に風が谷間を騒がすような大きな物音を聞きました。それから地面がゆらぎました。人々は恐れ、だれ一人出てみようとする者がおりませんでした。しかし朝になると、人々は外に出て仰天しました。なぜなら一夜にして死んだオークたちは影も形もなく消え失せ、かの森もまたなくなっていたからです。奥谷のずっと下の方まで草がつぶされ踏み荒らされて茶色くなっていました。まるで巨人牧夫たちがたくさんの家畜の群れにそこで草を食べさせたかのようでした。しかし堤防から一マイルほど下の地面には大きな穴が掘られ、その上に石が小山ほどに積まれていました。人々はかれらが殺したオークたちがここに埋められているのだと信じました。しかしこの中には森の中に逃げ込んだオークたちも一緒に埋められているのかどうか、それはだれにもいえなかったでしょう。その石の小山に登ったことのある者は一人としていませんでしたから。これは後に死の丘と呼ばれ、草一本生えてきませんでした。しかし、かの不思議な木々はその後二度とふたたび奥谷には見られませんでした。かれらは夜の間にはるか遠くファンゴルンの暗い谷間に戻って行ったのです。こうしてかれらはオークたちに復《ふく》讐《しゅう》をとげたのでした。

王とその一行はその夜はもうそれ以上眠りませんでしたが、他に変わったことは何一つ見も聞きもしませんでした。ただ一つ変わったことといえば、傍《かたわ》らの川が不意に目覚め、音を立てて流れ出したことでした。岩の間を滔々《とうとう》と水が流れ出しました。そしてそれが流れ過ぎてしまうと、ふたたびアイゼン川はいつものように泡立ちながら元の川床の上を流れてゆきました。

夜が明けて、一行はふたたび旅を続ける支度をしました。朝の光は白々として、日の出が見られませんでした。頭上には霧が重く垂れこめ、地上には煙霧がよどんで一行を取り巻いていました。一同は今は公道にゆっくりと馬を進めて行きました。公道の道幅は広く、地面は堅く十分に手入れがされていました。霧をすかしてぼんやりと山脈の長い腕が左側に突き出ているのが認められました。一行はすでにナン・クルニアすなわち魔法使の谷に入り込んでいました。この谷間は南にだけ開いていて、あとは山で囲まれた隠れ谷でした。昔は美しい緑豊かな谷間で、その谷間を縦断して流れるアイゼン川は平野部に出るまでにすでに水深も水勢もありました。というのも雨に洗われる山々のたくさんの泉や小さな渓流の水が流れ込んでくるからでした。そして川の周辺には気持ちのいい肥沃な土地が広がっていました。

しかし今は違いました。アイゼンガルドの城壁の下にはサルマンの奴隷たちによって耕作された土地が何エーカーか残ってはいます。しかし谷間の大半は雑草と茨の生い茂る荒れ地と化していました。野茨が地をはって茂みや土手にかぶさるようによじ登り、方々に藪となってその穴が小動物の棲処《すみか》となっていました。ここには木は一本も生えず、伸びほうけた草の間に昔の木立ちの名残と見られる切株が火に焦げ、斧で切られた跡を残してあちこちに見られるのでした。今はただ、岩に激する早瀬の音のほかには聞こえるものとてない佗《わび》しい土地と化していました。立ち昇る煙と蒸気は吹きだまって、不気味な雲となり、あるいは潜んで窪地にこもりました。騎士たちはものをいいませんでした。多くの者は心の中にこの旅がどのような陰鬱な結末をとげることになるのかと恐れるのでした。

何マイルか進むと、公道は広い通りになり、上手に畳まれた正方形の大きな平石で舗装《ほそう》されていて、その継目には草一本見られませんでした。深い溝が音立てて流れる水をいっぱいに湛えて道の両側を走っていました。突然前方に高い柱が現われ出てきました。柱は黒く、その上に大きな石を長大な手の形に彫って白く彩色したものがのせられていました。指は北を指していました。ここからもう程遠からぬ所にアイゼンガルドの門が立っているに違いないことを知って、一行の心は重く沈みましたが、目は前方の靄《もや》を見通すことができませんでした。

山ふところの魔法使の谷の中には、数えることもできぬ遠い昔から、人間がアイゼンガルドと呼ぶ古い場所がありました。それは部分的には山々の成立ちとともに形成されたのですが、ここにはその昔いや果ての西方から来た人間たちがすばらしい建造物を造ってもいたのです。それにサルマンはここに居をかまえて年久しく、いたずらに過ごしてはいませんでした。

サルマンが多くの者から魔法使の長と見なされ、得意の絶頂にあった時、この場所のこしらえはこうなっていました。大きな環状の岩壁が、そそり立つ絶壁のように山陰《やまかげ》から出てまた山陰に戻っていました。そこには入口はただ一つしか作られておらず、南側の壁にうがたれた大きなアーチ門がそれでした。そこに黒い岩をえぐって長いトンネルがうがたれ、そのトンネルは両端に大きな鉄の門扉《もんぴ》があって閉じられました。この扉は大きな蝶番《ちょうつがい》で動くようになっていて、鉄の柱は自然の岩に打ちこんでありました。それで扉に閂《かんぬき》さえかけてなければ、両手で軽く押すだけで音もなく動かすことができました。この反響するトンネルに足を踏み入れ、ようやく出て来た者は、目の前に大きな円形の広場を見ました。広場は巨大な浅い鉢のように中がくぼんでいて、端から端まで長さはおよそ一マイルありました。以前はここも緑が青々として、並木や果樹の木立ちが山々から湖に流れ込むたくさんの渓流の水で養われ、所狭いばかりに茂っていたのでした。しかしサルマンの時代も後半になると、ここには緑が根だやしになりました。道はすべて暗色の堅い平石で舗装され、そのへりには並木の代わりにあるいは大理石であるいは銅であるいは鉄でできた柱が互いに重い鎖でつなぎ合わされて並んでいました。

そこにはたくさんの家がありました。部屋に広間に廊下、それがみな岩壁の内側に穴を切り開いて作られていましたので、円形の大きい広場は無数の窓と暗い入口から隈《くま》なく見渡されることになります。ここには何千という職工に召使、奴隷に戦士たちが住まっており、おびただしい武器が蓄えられていました。狼たちはこの住居の下の深い穴で飼われていました。広場にも穴が掘られていました。地中深く立坑《たてあな》が掘り抜かれ、その上の口は石の円天井《まるてんじょう》のついた低い築山でおおわれていましたので、月光に照らされたアイゼンガルドの円形広場は安らかに眠ることのできぬ死者たちの墓場のように見えました。それはここの地面がたえず震動するからでした。これらの立坑はたくさんの坂道や螺旋《らせん》階段ではるか下の洞窟に達していて、その多くの洞窟にサルマンは宝物庫、倉庫、武器庫、鍛冶工場、そして大きな炉を持っていました。ここでは鉄の歯車が絶えず回転し、重い槌音《つちおと》が響いていました。夜にはもうもうと排気口から湯煙が噴出し、それは地下の明かりに照らされて、赤く、青く、あるいは毒々しい緑色に見えました。

鎖と鎖の間を走る道はすべて中央に集まっていました。そこには驚くべき形を持った塔が立っていました。これは古《いにしえ》の工匠たちの手によって作られたもので、アイゼンガルドの環状の岩壁を滑らかな城壁に仕上げたのもかれらでした。しかしこれは人間業《わざ》で作られたものとは見えず、その昔山々が苦しみ悶《もだ》えた時大地の骨からもぎ取られてできたもののように見えました。これは岩の峰であり、岩の小島であって、黒々と硬い輝きを放っていました。多面の石を用いた四本の巨大な脚が一つに合わされているのですが、頂上近くでその脚はそれぞれ大きく口を開《あ》けた角笛《つのぶえ》の形に開《ひら》き、尖塔《せんとう》はどれも槍《やり》の穂先のように鋭く、短剣の刃のように鋭利でした。尖塔の間に狭い空間があって、奇妙な記号を記したそこの磨かれた石の床《ゆか》に立つと、広場から五百フィート上になるのでした。これがサルマンの城塞《じょうさい》、オルサンクでした。この名には（故意か偶然か）二重の意味がありました。というのは、エルフ語ではオルサンクは牙の山を意味するのですが、マークの古語では狡猾《こうかつ》な心という意味だったからです。

アイゼンガルドは強固な砦《とりで》であり、驚くべき所でした。そして古来美しい場所でもありました。ここにはゴンドールの西の守護である偉大な領主たち、また星の運行を見守る賢者たちが住んできました。しかしこれをサルマンはその移り変わる目的に合わせて少しずつ変えてきました。サルマン自身はこれを改良と考えていたのですが、それはかれが惑わされていたからで、つまり、こういう技術や巧妙な仕組みはすべて、かれが以前の知恵を捨てて代わりに得たものであり、他愛なくも自分の考案と考えていたのですが、その実はモルドールから出たものにすぎなかったからです。それ故かれが作ったものは無に等しく、あの巨大な砦《とりで》、武器庫、牢獄、大工炉《だいこうろ》をかねるバラド＝ドゥア、すなわち暗黒の塔の、これはけちな模型、子供の雛形《ひながた》、奴隷の追従にすぎませんでした。かの暗黒の塔こそは何者の追随も許さず、へつらいを一笑に付し、己《おの》が時機を待ちつつ、己れの全盛と測り難いほどのその力に安住しているのでした。

伝えられるところによると、これがサルマンの拠点でした。というのは、昔の者は知らず、今生きているローハンの人間でこの門をくぐった記憶を持つ者は皆無だったからです。ただし、蛇の舌のような少数の例外は別です。しかしかれらは秘かに出入りして、自分の見たことは語りませんでしたから。

さてガンダルフは手の形をした巨大な柱に馬を進め、そしてそこを通り過ぎました。かれが通り過ぎると手がもはや白くは見えないことに気づき、騎士たちは驚き呆れました。それは乾いた血に汚れているような色をしていました。さらに近づいて見ると、一同は手の爪が赤いのに気づきました。ガンダルフはかまわずに靄《もや》の中に馬を進めました。一同は気が進まぬながらそのあとに従いました。かれらの周りは今、突然の大洪水が襲来した直後のように、道のはたに大きな水たまりができて、窪地を埋め、敷石の間をちょろちょろと川を作って流れていました。

ようやくガンダルフは立ち止まって、一同を手招きしました。そこまでやって来た騎士たちは、前方で靄が晴れ上がり、薄い陽光が射してきたのを見ました。日はすでに正午を回っていました。かれらはアイゼンガルドの入口に来たのです。

しかし入口の門も扉もねじり取られて地上に散乱していました。そしてあたり一面に、無数のぎざぎざの破片となってひび割れ砕けた石が遠くまで飛び散るか、或いはうず高く瓦礫《がれき》の山となっていました。大きなアーチ門はまだ立ってはいましたが、今では屋根を失った割れ目を見下ろすように開いていました。トンネルはむき出しになっていて、両側に絶壁のようにそそり立つ壁には大きな割れ目があんぐりと口を開いていました。城門の塔も粉々に打ち砕かれていました。そのさまはたとえ怒り狂った大海の水が津波となって嵐とともにこの山々に押し寄せたにしろ、これほどの破壊を働くことはできなかったであろうと思えるくらいでした。

その先の環状広場はもうもうと湯気を上げている水でいっぱいでした。沸騰する大釜さながらでした。そこには梁《はり》や柱、箱に樽《たる》、こわれた道具などさまざまの難破物が浮き沈みしながら漂っていました。並木代わりの柱はねじれ傾《かし》いだまま洪水の上に裂け目のはいった胴体を突き出していましたが、道はことごとく水に浸《つか》っていました。ずっと離れた所に、まとわりつく雲に半ば隠れて、岩の孤島がぼうっと姿を現わしているように見えました。今もなお黒々と高く、嵐にもこぼたれずに、オルサンクの塔が立っているのでした。白っぽい水がその足許を洗っていました。

王とその一行は馬上に黙然《もくねん》と腰を据えたまま、ただ驚きいって、サルマンの力が打ち倒されたのを認めましたが、どうしてそうなったかは見当さえつきかねました。次いで一同の目はアーチ門と破壊された扉のあるところに向けられました。そのすぐそばには岩石のかけらがうず高く山をなしているのが見えました。そして不意にかれらは二人の小さな人物がその瓦礫《がれき》の山の上にゆうゆうと寝そべっているのに気づきました。二人とも灰色の服を着て石の色とほとんど見分けがつかなかったのです。二人の傍《かたわ》らにはびんや鉢や皿がありました。まるで十分に食べ終わったところで、一寸一休みといった感じでした。一人は眠っているようでした。もう一人は脚を組み、両の腕を頭のうしろに置いて、こわれた岩によりかかり、口から幾条《いくすじ》もの薄い青い煙を長くふかしたり、小さな環《わ》の形に吐き出したりしていました。

しばらくの間セオデンとエオメルとその麾下《きか》の一行は驚きの眼《まなこ》でかれらをみつめていました。見る影もなく変わり果てたアイゼンガルドのたたずまいの中でもこれは最も奇異な光景に思われました。しかし王が言葉を見つけるより前に、煙を吐き出していた小さい人物のほうで、突然靄《もや》の切れ目に黙々と立っている馬上の一行に気づきました。かれは跳び起きました。見たところ人間の若い男で、少なくともそう見えるのですが、背の高さは人間の半分よりたいして高くはありません。茶色の捲毛の頭には頭巾も帽子もなく、身を包んでいるものは、ガンダルフの一行がエ

ドラスにやって来た時に着ていたのと同じ色同じ形の、旅に汚れたマントでした。かれは片手を胸にあて深々と頭を下げました。次いで、魔法使とその友人たちの存在には気づかないらしく、そのままエオメルと王の方に向き直りました。

「ようこそアイゼンガルドにお越しくださいました！」と、かれはいいました。「われら両人、門衛を勤める者にございます。サラドクの息子メリアドクと申すのがわたくしの名前でして、これなるわたくしの友人は、哀れにも疲れ果てて伸びておりますが、」――ここでかれは足の先でもう一人をこづきました――「トゥック家のパラディンの息子ペレグリンにございます。われら両人の故郷ははるか北の国にございます。サルマン殿は中においでですが、ただ今ちょうど蛇の舌と申すご仁と密談中でございまして。でなければかかる尊貴なお客人方をお出迎えにむろんここまで出向いてまいりましょうが。」

「むろんそうじゃろうて！」笑いながらガンダルフがいいました。「で、このこわれた門を警備し、お前さんたちの注意が皿やびん以外にも向けられる余裕が生じたら客人方の到着に注意するよう命じたのはサルマンなのかな？」

「いえいえ、あの方はそのことにつきましては失念なさいましたようで。」メリーはまじめくさって答えました。「大層おとりこみ中でして。命令は木の鬚《ひげ》から出ております。アイゼンガルドの管理はかれが引き継ぎました。かれはわたくしにローハン国王をふさわしい言辞でお迎えするよう申しつけたのでございます。わたくしは及ぶかぎりいたしました。」

「それであんたの仲間のことはどうなんだ？　レゴラスとわたしのことはどうなんだよ？」もうこれ以上我慢しきれなくなって、ギムリがどなりました。「こいつ、もじゃもじゃ足のもじゃもじゃ頭め、こんな所で油を売りくさって！　よくもわれわれにけっこうないたちごっこをさせたな！　二百リーグだぞ、沼を通り森を通り、戦いと死をくぐりぬけ、どれもこれもみなお前さんたちを救出するためだ！　なのにお前さんたちはこんな所でご馳走をくらって遊んでる――おまけにパイプ草などふかして！　パイプ草をなあ！　やい、この悪者たち、どこで草を手に入れた？　ああなんともかとも！　わたしは怒っていいやら喜んでいいやら体が二つになりそうだ。これで破裂しなかったら奇蹟だね！」

「君はわたしに代わってうまくいってくれたよ、ギムリ。」レゴラスが笑っていいました。「だけどわたしはこの連中がどうやって葡萄酒を手に入れたかってことのほうが知りたいね。」

「あんたがたが追いかけっこをしてて見つからなかったものが一つある。それはね、もっと頭を働かすってことさ。」ピピンが片目を開けていいました。「ここで君たちはぼくらが敵軍の略奪品に囲まれて、勝利の戦場に坐ってるのを見つけたのに、そのぼくらが当然受けて然るべき楽しみの二つか三つをどうやって手に入れたかなんて不思議がるんだからね！」

「当然受けて然るべきだって？」と、ギムリがいいました。「わたしには信じられないね！」

騎士たちはみんな声をあげて笑いました。「われらは今親友方の再会に立ち会ってることは疑いないようじゃ。」と、セオデンがいいました。「それではこの二人が行方《ゆくえ》知れずになったというあんたの仲間なのかな、ガンダルフ？　当節は不思議なことが続々起こる運命にあるようじゃ。予はわが城を後にして以来もうすでに多くの不思議を見てきた。そして今ここにまたもや伝説上の種族が予の目の前に立っておる。このお二人は小さい人ではないのかな？　われらの間ではホルビトランとも呼ばれておるが。」

「どうぞホビットとお呼びくださいませ、殿」と、ピピンがいいました。

「ホビットとな？」と、セオデンがいいました。「そなたの言葉は一風変わっておるな。だがその名前はさほど不似合には響かぬ。ホビットか！　予がかつて耳にしたいかなる噂もそなたたちの真実を正しく伝えてはおらぬのう。」

　メリーは頭を下げました。ピピンも起き上がって、深々とおじぎをしました。「殿、有難きお言葉で、いや、そう受取らせていただきとう存じます。」と、かれはいいました。「そしてこれはまたもう一つの驚きでございます！　わたくしは郷里《くに》を出て以来いろいろの国を旅してまいりました。そして今に到るまでわたくしはホビットに関する話を少しでも聞き知っている人々に出会ったことがなかったのでございますから。」

「わが一族は昔北の国からまいったのじゃ。」と、セオデンはいいました。「しかしそなたたちを欺《あざむ》くまい。われらはホビットについてはどんな話も知らぬ。われらの間で伝えられていることを申せば、たくさんの山を越え川を渡ったはるかな地には砂丘の穴に住む小さな人族が暮らしておるということだけ。じゃがかれらの功業については何も伝えられておらぬ。というのもかれらはほとんど功業らしいものを立てず、人間の目を避けて、あっという間に姿を消すことができるということだからじゃ。それにかれらは小鳥の囀《さえず》りに似せて声を変えることができるそうじゃ。しかしまだまだほかにも伝えることはありそうじゃな。」

「いかにもございますとも、殿。」と、メリーがいいました。

「一例をあげればじゃ、」と、セオデンがいいました。「かれらが口から煙を吐き出すとは、予も聞いておらなんだぞ。」

「それは驚くにあたりませぬ。」と、メリーが答えました。「何故と申せば、これはわれらとしましてもほんの数世代前から嗜《たしな》んでまいりました芸でございます故。初めて本当のパイプ草をその栽培園で育てましたのは、南四《し》が一《いち》の庄の長窪《ながくぼ》村の住人、角笛《つのぶえ》吹きトボルドにございます。わたくしどもの数え方でいいますと一〇七〇年頃のことでございました。トビィじいがどうしてこの植物を手に入れたかと申しますと……」

「セオデン殿、殿は危険に気づいておられぬが、」と、ガンダルフが口をはさみました。「このホビットたちときたひには、たとえ廃墟《はいきょ》のふちにすわっていようと、食卓の楽しみはおろか、かれらの父親たち、祖父たち曾祖父たち、はたまた九等親に至るまでの遠いいとこはとこたちがどうしたのこうしたのという些々《ささ》たる出来事を延々《えんえん》と話し続けますのじゃ。殿がいわれのない辛抱強さをお見せになってかれらをいい気にさせたらさいごですぞ。喫煙の歴史については後日《ごじつ》あらためて聞かれるのがよろしかろう。木の鬚《ひげ》はどこにおるな、メリー？」

「向こうの北側にいると思いますけどね。飲みに行ったんです——きれいな水をね。他のエントたちもほとんどの者がかれと一緒にいます。まだ忙しく働いてるんですよ——向こうで。」メリーは手を振って、もうもうと湯気を上げている湖の方を示しました。一同がそちらに目を向けると、山津波のようなゴロゴロガラガラという遠い地響きの音が聞こえてきました。ずっと向こうの方から高らかに吹き鳴らされる角笛《つのぶえ》と覚しい「ホーンホム」という音が聞こえてきました。

「それではオルサンクは見張りなしか？」と、ガンダルフがたずねました。

「水が取巻いてますよ。」と、メリーがいいました。「だけどせっかちと他の何人かが見張ってます。広場にあるあの杭や柱の類は皆が皆サルマンが植えたもんじゃないんですよ。あの岩のそばにいるのがせっかちだと思いますよ。階段の足許の近くです。」

「本当だ、背の高い灰色のエントがいるよ。」と、レゴラスがいいました。「だけど腕を真っ直両脇におろしてね、玄関脇の木みたいにじっと立ってる。」

「もう正午をまわった。」と、ガンダルフがいいました。「それにともかくわしらは早朝から何も食べておらん。じゃが、わしはできるだけ早く木の鬚《ひげ》に会いたい。かれはわしに何も伝言を置いていかなかったかな？　それとも皿と酒びんのおかげでお前たちの念頭から追いやられてしまったかな？」

「かれは伝言を置いて行きましたよ。」と、メリーがいいました。「そのことをお話ししようとしてたんだけど、いろいろ質問がはいるもんだからおそくなってしまったんです。こう申し上げる害だったんです。マークの王とガンダルフが北の壁までお越しくださるなら、そこで木の鬚にお会いになれましょう。かれは喜んでお二人をお迎えするでありましょう。これだけです。わたくしからつけ加えて申しますと、あちらにいらしたら飛切り上等の食べものがございます。わたくしども二人で見いだし選《え》り分けたものにございます。」かれは頭を下げました。

ガンダルフは笑いました。「そりゃなおいい！」と、かれはいいました。「それでは、セオデン殿、わしとご一緒に木の鬚に会いに行かれますかな？　ぐるっと回って行かねばならんが、遠くはありません。木の鬚に会われたら、いろいろお聞きになれましょう。何故なら木の鬚というのがファンゴルンで、エントの最年長であり、頭《かしら》だからです。それにかれと話をされると生きとし生けるものの中で最も古いものの言葉を聞かれることになりますぞ。」

「ご一緒にまいろう。」と、セオデンがいいました。「ではご機嫌よう、わがホビット諸君！　わが館《やかた》でふたたび相会わんことを！　その時は予の傍《かたわ》らに坐して、心ゆくまで話を聞かせてもらおう。そなたたちに数えられる限りまでさかのぼってそなたたちの先祖の逸話をな。それからトボルドじいさんとかれの本草学《ほんぞうがく》のことも話すとしよう。ではご機嫌よう！」

ホビットたちは深々と頭を下げました。「なるほど、あの方がローハン国王か！」ピピンが低い声でいいました。「りっぱなお年寄りじゃないか。とてもいんぎんだし。」

九　漂着物

ガンダルフと王の一行は破壊されたアイゼンガルドの城壁を迂回《うかい》するために、馬首を東に向けて立ち去りました。しかしアラゴルンとギムリ、それにレゴラスはあとに残りました。アロドとハスフェルには草を求めて好きなようにさ迷わせることにし、三人はホビットたちのそばに来て坐りました。

「やれ、やれ！　追跡もこれでおしまいだ。とうとうまた会えたね。それもわれらのうち一人としてよもや来るとは思ってなかった所でね。」と、アラゴルンがいいました。

「えらい人たちが高遠な問題を話しに行ってしまったんだから、」と、レゴラスがいいました。「わたしたち三人の追手組は、その間にいろいろと小さな疑問に答えてもらえるかもしれないな。わたしたちはファンゴルンの森の所まであんたたちのあとをつけたんだ。だけどわたしが真相を知りたいと思っていることはほかにもまだいろいろある。」

「あんたたちのことでぼくたちが知りたいと思っていることだって随分あるんだよ。」と、メリーがいいました。「老エントの木の鬚《ひげ》から少しは聞いてるけど、それだけじゃとても足りないもの。」

「それはおいおい話すけど。」と、レゴラスがいいました。「わたしたちは捜し回らされたんだから、先ず最初は君たちの方から自分のことを話してくれなくちゃいけない。」

「二番目でもいいよ。」と、ギムリがいいました。「食事のあとの方が具合よくないかな。わたしは頭が痛むんだ。それにお午も過ぎてるし。油を売ってたお二人さんよ、さっき話してた略奪品とやらをわれわれにもいくらか見つけてきて償いをしろよ。食べものと飲みものがあれば少しは勘定を差し引いてやるから。」

「それなら差し上げますよ。」と、ピピンがいいました。「ここで召し上がりますか？　それともサルマンの衛兵所だった所でもっとゆっくり召し上がるほうがいいですか——向こうのアーチの下だけど。ぼくたちはここまで遠足して来なくちゃならなかったんでね。片目で道を見張るためにね。」

「片目も開けてなかったじゃないか！」と、ギムリがいいました。「だけどわたしはオークの家の中にははいらない。それからオークの肉とかその他何でもオークがいじくりまわしたものには手を触れないよ。」

「ぼくたちだってあんた方をそんなものに招待しはしませんよ。」と、メリーがいいました。「ぼくたち自身一生ゲップが出るくらいオークにはうんざりしているんだから。だけどアイゼンガルドには、ほかの種族もいたんだ。サルマンもオークどもを信用するほどばかじゃない。城門の見張りは人間にやらせてたよ。かれの最も忠実なる召使たちだろうね。ともかくかれらはサルマンにかわいがられてて食料も上等の物を支給されていた。」

「パイプ草もかね？」と、ギムリがたずねました。

「いいや、そうじゃないだろ。」メリーは笑いました。「だが、それはまた別の話だ。食事がすんだら話してあげるよ。」

「じゃお昼を食べに行くとしようよ！」と、ドワーフがいいました。

ホビットたちが先に立ち、一同はアーチの下を通って、左側の階段の上の大きな戸口のあるところに来ました。その戸口は大きな部屋に直接通じています。その部屋の奥には別に小さな戸口がいくつかあり、部屋の片側には煖炉と煙突がありました。この部屋は岩をくり抜いてできていました。以前はさぞ暗かったに違いありません。窓はどれもトンネルの方にだけ開いていたからです。しかし今ではこわれた屋根から光が射しこんでいました。煖炉には薪が燃えていました。

「少し火を燃やしたんだ。」と、ピピンがいいました。「でないとこの霧で気が滅入《めい》っちゃうからね。この周りには焚木はほとんどないし、見つけた木はたいてい湿ってるんだ。だけどこの煙突はすごく引きがよくてね。岩を通って上まで出てるらしいんだ。それに運よく塞《ふさ》がらなかったし。火があると便利だもの、トーストを作ってあげるよ。パンは生憎《あいにく》三、四日前のだけど。」

アラゴルンとその二人の仲間は長いテーブルの一方の端に席を占めました。ホビットたちは奥の戸口の一つから姿を消しました。

「あそこが貯蔵室なんだ。それに運よく水にもつからなかったしね。」皿小鉢に杯にナイフ、それからいろいろな食べものを山と持ち帰りながら、ピピンがいいました。

「それから、ギムリ旦那、あんたはこの糧食をさげすむことはないんだよ。」と、メリーがいいました。「これはオークの食べものではなくて、木の鬚流《ひげりゅう》にいえば人間の食べものなんだから。葡萄酒をお飲みですか？　それともビール？　向こうの部屋に樽《たる》があるんだ——まあかなりいけますよ。それからこれは最上の塩豚でございい。それともよろしければ、ベーコンを何枚か切って焼いて差し上げてもいいんですが。残念なことに緑野菜を切らしましてね。ここ数日ご用聞きの出入りが差し止められてるもんで！　そのほかにはパンにおつけになるバターと蜂蜜のほかには何も差し上げられませんが、ご満足いただけましょうか？」

「むろんだよ。」と、ギムリがいいました。「貸しはうんと差し引いてやる。」

三人はすぐに食事に没頭しました。そして二人のホビットたちも平然として二度目の昼食を食べ始めました。「お客様にお相伴《しょうばん》しなくちゃ。」と、いうわけで。

「君たちは今朝はばかに礼儀正しいね。」レゴラスが笑っていいました。「でももしわたしたちが来てなかったら、多分君たちはお互いにお相伴し合ってとっくに食べ直しをしてるだろうね。」

「多分ね。でもかまわないじゃないか。」と、ピピンがいいました。「ぼくたちはオークどもにひどい物を食べさせられたんだ。それにその前だって何日もろくすっぽ食べてないんだし。もう随分長いこと心ゆくまで食べたことなんかないみたいだよ。」

「それでもあんたたちはちっとも弱ってるようには見えないな。」と、アラゴルンがいいました。「それどころか健康ではち切れそうに見えるね。」

「うーん、ほんとだ。」杯越しに二人を上から下まで眺め回し、ギムリがいいました。「おや、あんたたちの髪、別れた時の倍ぐらい濃くなってるし、それにくるくる捲いてるよ。それから断言するけど、二人ともいくらか背が伸びたね。あんたたちの年頃のホビットでも伸びるものならね。その木の鬚《ひげ》とやらは少なくともあんたたちを飢えさせはしなかったんだね。」

「しなかったとも。」と、メリーがいいました。「だけどエントは飲むだけなんだ。そして飲むだけじゃどうも口さびしいんだね。木の鬚の飲みものは滋養はあるかもしれない。けれど何か固形のものが食べたくなるもんだ。だから気分を変えるにはレンバスだって悪くないさ。」

「君たちはエントの水を飲んだんだね？」と、レゴラスがいいました。「ああ、それじゃギムリの目に狂いはないらしいや。ファンゴルンの飲みものについては不思議な歌が歌われてるのだものの。」

「いろいろ不思議な話があの土地について語られてきた。」と、アラゴルンがいいました。「わたしはまだ一度も中へはいったことがない。さあ、あの森のことをもっといろいろわたしに話してくれ、それからエントのことも！」

「エントは、」と、ピピンがいいました。「エントたちはね――ええと、エント族は、一つにはひとりひとり異なっている。ところでかれらの目なんだがね、その目はね、とても変わってるんだ。」かれは言葉を探して二言《ふたこと》三言《みこと》話しましたが、次第に口ごもりながら黙ってしまいました。「ああ、そうだ、」と、かれは続けました。「君たちだって遠くから見てるよ、もう——ともかく向こうでは君たちを見てるんだから。そして君たちがこちらにやって来るって知らせてくれたんだ——ここを去る前にもっと大勢のエントに会えるだろうしね。エントはどんなものかってことを自分で摑んでくれよ。」

「おい、おい！」と、ギムリがいいました。「話が途中から始まってるじゃないか。話は順を追って話してもらいたいね。仲間が散り散りになったあの妙な日から始めてくれ。」

「時間さえあれば話してあげるよ。」と、メリーがいいました。「だけどその前に先ず——もう食事がおすみならだけどね——パイプに草を詰めて火をおつけなさい。そうすればしばらくの間、ぼくたちは今みんな無事にブリー村なり裂《さ》け谷《だに》なりに戻って来たんだと思うことができるもの。」

かれは煙草のたくさんはいった小さな革の袋を取り出しました。「山みたいにあるんだ。」と、かれはいいました。「出て行く時には、みんな好きなだけ袋に詰めて行くといいよ。今朝少しばかり引き揚げ作業をやったんだ、ピピンとぼくとでね。随分いろんなものが浮いてるんだよ。小さな樽《たる》を二つ見つけたのはピピンなんだ。穴倉か倉庫から水で押し流されてきたんじゃないかな。開けてみたら中にはこれがいっぱいはいってたってわけ。望める限りの上等のパイプ草だよ。それに全然悪くなってないんだ。」

ギムリはそれを少し手に取ると、両の掌でこすって匂いを嗅《か》ぎました。「手触《てざわ》りも上等、香りも上等。」と、かれはいいました。

「上等品さ！」と、メリーがいいました。「だってギムリ君、これは長窪葉《ながくぼば》なんだもの！　樽にははっきりもはっきり、ちゃんと角笛《つのぶえ》吹きの商標がついてたんだ。それがどうやってここにきたのか、ぼくには見当がつかないけど。サルマンが自分で使うためなんだろうね。よその国のこんな遠くまでこれがきてるなんて全然知らなかったな。だけど今はちょうど役に立つね。」

「パイプがあれば、役に立つといえるんだけど。」と、ギムリがいいました。「惜しいかな、わたしはモリアかそれとももっと前で自分のパイプをなくしてしまったんだ。あんたたちの分捕品の中にパイプはないのかね？」

「残念ながら、ないね。」と、メリーがいいました。「パイプは一本も見つけなかったよ。この衛兵所にもなかったね。サルマンはこの珍味を自分用に取っておいたらしい。かといってオルサンクのドアを叩いて、かれにパイプを一本くださいって所望しても何かの役に立つとは思えないし！　いざっていう時の仲の良い友達がするように、廻しのみしなくちゃしょうがないね。」

「ちょっと待ってよ！」と、ピピンがいいました。手を上着のふところに突っ込んで、かれは紐のついたしなやかな革製の小さな小物入れを引っ張り出しました。「ぼくは宝物を一つか二つ肌身離さず持ってるんだ。ぼくにとっては指輪と同じくらい大切なものをね。これもそうだ。ぼくの古い木のパイプ、それからこれもそうだ。これはまだ使っていないやつ。ぼくはこれをずっと持って歩いてたんだ。何故だか自分でもわかんないけど。自分のが切れてしまったら、旅の途中でパイプ草が見つけられるだろうなんて思ってたわけじゃないけどね。だけど今になって結局役に立つことになった。」かれは広がった平たい火皿のついた小さなパイプを差し出して、ギムリに渡しました。「これで借りはすっかり精算できたかな？」と、かれはいいました。

「できたとも！」と、ギムリは叫びました。「いとも高潔なるホビットよ、わたしは深く恩に着るよ。」

「じゃ、わたしはまた外に戻るよ、風と空の様子を見にね！」と、レゴラスがいいました。

「みんな一緒に行こう。」と、アラゴルンがいいました。

一同は外に出て城門の前の瓦礫《がれき》の山に腰を下ろしました。今は谷間の下の方まで見渡すことができました。靄《もや》も上がりかけて微風に運ばれながら流れ去ろうとしていたからです。

「ではここで少しくつろぐとしよう！」と、アラゴルンはいいました。「ガンダルフがどこかで忙しくしている間、かれの言い草じゃないが、廃墟《はいきょ》のふちに坐ってしゃべろうではないか。わたしは今までほとんど覚えがないほど疲れてしまった。」かれは灰色のマントですっぽり身をくるんで鎖かたびらを隠し、長い脚を伸ばしました。それから仰向けにひっくりかえって口から薄くたなびく煙を吐き出しました。

「ほら！」と、ピピンがいいました。「野伏《のぶせ》の馳夫《はせお》さんが戻って来た！」

「かれは一度もよそになんか行っていない。」と、アラゴルンがいいました。「わたしは馳夫であり、ドゥナダンでもある。そしてゴンドールと北の国の両方に属しているのだ。」

一同はしばらく黙ってパイプをくゆらしていました。かれらの上には日が燦々《さんさん》と降りそそいでいます。西の空高く浮かぶ白い雲の間から谷間に斜めに射し込む日光でした。レゴラスは静かに横になったまま、ゆるがぬ目で太陽と空を見上げ、自分一人に聞かせるようにそっと小声で歌を歌っていました。とうとうかれは上半身を起こし坐り直していいました。「さあさあ！　時間は経つし、靄《もや》も風に流されていく。少なくとも君たち変わった連中が煙に身を包むのを止めれば靄も晴れるだろうよ。話はどうなったんだい？」

「ええと、ぼくの話はね、暗闇で目を覚ましたら、そこはオークの野営地で、ぼくがぐるぐる巻きになっていたというところから始まるのだ。」と、ピピンがいいました。「はてと、今日は何日だったっけ？」

「ホビット庄式に数えれば、三月の五日だ。」と、アラゴルンがいいました。ピピンは指で何やら数えました。「たった九日前じゃないか！」と、かれはいいました（原註　庄暦でひと月は三十日）。「捕えられた時からもう一年くらい経ったみたいだ。といってもその半分は悪夢のようなもんだけど。ぞっとするような日が三日間続いたと思う。もしなにか大事なことをぼくがいい忘れたら、メリーが訂正してくれるだろう。細かいことは話さないよ。鞭と不潔と悪臭とその他もろもろのものだ。憶えていたいようなことじゃないよ。」そういってかれはボロミアの最後の闘い、そしてエミン・ムイルからファンゴルンの森に至るまでのオークの進軍のことを話し始めました。三人はいろいろな点で話が自分たちの推測と合致するので、うなずきながら聞いていました。

「あんたたちが落として行った宝物がある。」と、アラゴルンがいいました。「戻って来たらうれしいのじゃないかな。」かれはマントの下のベルトをゆるめ、二振りの鞘《さや》つきの短剣をはずしました。

「おやおや！」と、メリーがいいました。「二度と見られるとは思ってなかったのに！ それで何人かのオークに切りつけたんだけど、ウグルクに取り上げられてしまったんですよ。あの時のあいつのぎらぎらと睨《ね》めつける目の光ときたら！ 初めぼくは刺し殺されるんじゃないかと思った。でも、あいつはまるで火傷《やけど》でもしたようにそれをほうり投げてしまったんです。」

「それから、ピピン、あんたのブローチもある。」と、アラゴルンがいいました。「大事に取っといてあげたよ。とても貴重な物だからね。」

「わかってます。」と、ピピンがいいました。「これを手放すのは身を切られるみたいに辛かったなあ。でも他にどうしようがあったでしょう？」

「どうしようもない。」と、アラゴルンが答えました。「危急の時に宝物が捨てられない者はわれとわが身を縛ってるようなもんだ。あんたは正しく行動したんだよ。」

「手頸をしばった綱を切るなんて、利口だなあ！」と、ギムリがいいました。「天の配剤があったにしても、あんたはそれをいわば両手でしかと受けとめたんだ。」

「そしてわたしたちに厄介な判じものをさせたってわけだね。」と、レゴラスがいいました。「わたしはまた君たちに翼でも生えたのかしらんと思ったのさ！」

「生憎《あいにく》そうじゃないんだ。」と、ピピンがいいました。「だけど君たちはグリシュナッハのことは知らなかったものね。」かれは身震いしてそれ以上何もいわず、最後に味わったあの恐ろしい時間のことはメリーに任せました。鉤爪《かぎづめ》のある手、熱い息、それからグリシュナッハの毛むくじゃらな手の恐ろしいような力といったことでした。

「このバラド＝ドゥア、かれらにいわせるとルグブルズに関するオークどもの話は、気にかかるな。」と、アラゴルンがいいました。「冥王はすでに知り過ぎるぐらいに知っていた。かれの召使も同様だ。そしてグリシュナッハは喧嘩のあと明らかに河向こうに何か伝言を送ったものと思われる。赤目はアイゼンガルドを向いているだろう。だがサルマンはいずれにしろ進退きわまったわけだ。」

「ええ、どっちが勝つにしろ、かれの前途はかんばしくありませんよ。」と、メリーがいいました。「かれのオークどもがローハンに足を踏み入れてからというもの、何もかもかれにとっては事、志と違ってきましたからね。」

「わたしたちはね、あの爺《じじ》いをちらっと見たんだ。ともかくガンダルフはそうじゃないかといってる。」と、ギムリがいいました。「ファンゴルンの森外れでね。」

「いつのこと？」と、ピピンがたずねました。

「五日前の夜。」と、アラゴルンがいいました。

「ちょっと待てよ、」と、メリーがいいました。「五日前の夜と——ここでぼくたちはあんたたちが全然何も知らぬ話にはいるんだ。ぼくたちはその日の朝、合戦のあと、木の鬚《ひげ》に会った。そしてその夜は湧水の間というかれのエント小屋の一つに泊まったんだ。次の朝ぼくたちはエントの寄合《よりあい》、つまりエントの集会に行った。これがねえ、また生まれてから見たこともないほど風変わりなもんなんだよ。集会はその日一日中と次の日も続いた。そして夜になるとぼくたちはせっかちと呼ばれているエントの所で泊まった。そして、寄合の三日めの午後おそくなってエントたちは突然怒りを爆発させたんだ。びっくりしたねえ。森はまるでその中でこれから雷鳴とどろく嵐がおころうとでもしているようにぴんと張りつめた感じだった。それから突如として森は爆発した。エントたちが行進する時の歌を君たちに聞かせたかったなあ。」

「もしサルマンがあれを聞いてたら、今頃は百マイルも離れた所に行っちゃってるよ。たとえ自分の脚で走らなくちゃならなくってもね。」と、ピピンがいいました。

「石とつめたく、骨とあらわに築かれて、アイゼンガルドが堅くとも、
ゆくぞ、ゆくぞ、戦さにゆくぞ、石をうがち、扉《と》を破るぞ！

もっともっとあったんだけど。歌には言葉のないところも随分あって、角笛《つのぶえ》と太鼓の音楽みた

いなんだ。聞いてると心が奮い立ってくるよ。でもぼくはそれはただの行進曲でそれ以上のものでない、ただの歌にすぎないんだ、と思ってたんだ——ここに着くまではね。今になってよくわかった。」

「ぼくたちは最後の尾根を越え、夜になってからナン・クルニアに降りてきたんだ。」と、メリーが続けました。「森自体が動いてぼくたちのあとからやって来てるんじゃないかという感じをぼくがもち始めたのはこの時だった。ぼくはエントの夢でも見てるのじゃないかと思った。でもピピンもそれに気がついていた。ぼくたちは二人ともぎょっとしてしまった。だけどもっとあとになるまでそのことについてはそれ以上何も見つけだせなかった。

「それはね、フオルンたちだったんだよ。ともかくエントたちはかれらのことを『短い言葉』ではそう呼んでいる。木の鬚《ひげ》はかれらのことについてはあまりいおうとしないけど、ぼくはかれらのことをほとんど木のようになってしまった、少なくとも見たところはそうなってしまったエントたちなんだと思う。かれらはね、森の中やあるいは森の外れのあちこちに立ってるんだ。黙ったまま、いつまでもいつまでも木の番をしながら。でも一番暗い谷々の奥には、このフオルンが何百何千といるんだと思う。

「かれらの内には偉大な力がひそんでいて、自分を薄闇の中にくるんでしまうことができるみたいだ。かれらが動くのを目で見るのはむずかしいけれど、本当は動くんだ。それも怒ったとなると、とても速く動ける。君がじっと立ってるとするよ、お天気を見ながらね、それともサヤサヤと鳴る風の音を聞きながらね。するとその時君は突如として自分が森の真ん中におり、まわりがどこもかしこも手探りするように枝を張り出した大きな木ばかりということに気づく。かれらはまだ声を失っておらず、エントとは話をすることができる——それでフォルンと呼ばれているんだって木の鬚がいってるけどね——だけどかれらは少しおかしくなってもいるし、荒々しくもなっている。危険なんだよ。もしほんとのエントがそばにいてかれらの面倒を見てるんでなければ、ぼくはかれらに出会ったらこわくなるだろうな。

「それで、夜もまだ更《ふ》けぬ頃、ぼくたちは長い山峡《やまあい》をひそかに下って魔法使の谷の一番奥の突端にやって来た。ぼくたちというのはエントたちとそれからそのあとにサワサワとさやぎながら従うフオルンたち全部のことだ。ぼくたちはもちろんかれらを目で見ることはできなかったけど、空気がキイキイときしむ音で満ち満ちていた。とても暗くて、雲の多い夜だった。かれらは丘陵地帯をあとにするや大変な速さで動き出し、ごうごうと吹く風のような音をたてた。月も雲間から姿を見せず、そして真夜中を過ぎて間もない頃には、アイゼンガルドの北側の山腹はすっかり丈高い森で埋まってしまったんだ。敵の姿は見えず、戦いを挑んでくる様子もなかった。塔の高い窓から明かりがかすかに洩れるだけなのさ。

「木の鬚と他に数人のエントたちはなおも密《ひそ》かに歩を進め、ぐるっと回って大門の見える所まで来た。ピピンとぼくもかれと一緒だった。ぼくたちは木の鬚《ひげ》の両肩に腰掛けてたんだ。それでぼくにはかれの身内に震えるような緊張感が流れているのが感じられた。しかしエントというのはたとえ奮起した場合でもとても用心深く忍耐強くしてられるんだ。かれらは石で彫った彫刻のように立ちつくして、呼吸をし耳を澄ましていた。

「するとその時突如としてものすごい騒ぎが起こった。ラッパが鳴り響き、アイゼンガルドの城壁にこだました。ぼくたちは自分たちが発見されてこれから戦いが起こるのかと思った。しかしそういうことでは全然なかったんだ。サルマンの軍勢がすっかり出て行くところだったんだ。ぼくはこの戦いのことも、ローハンの騎士たちのこともあまりよくは知らない。だけどサルマンは決定的な一撃でもって王とその軍勢を片づけてしまうつもりだったらしいね。かれはアイゼンガルドを空《から》にした。ぼくは敵軍が出て行くのを見た。徒歩《かち》で進軍するオークたちの列がいくつもいくつも切れ目なしに続くかと思うと、大きな狼にまたがるオーク部隊もあった。それから人間たちの大部隊もあった。かれらの多くは炬火《たいまつ》を持っていたので、ぼくはゆらぐ炎に照らされたかれらの顔を見ることができた。かれらの大多数は普通の人間だった。どっちかというと背が高く、髪が黒っぽく、こわい顔をしてたが特別性悪そうでもなかった。ところが他《ほか》に見るも恐ろしいやつらがいたんだ。背の高さは人間並みなんだが、顔はゴブリン、色は土色で、いやな目つきをしてるんだ。かれらを見てると、ほら、ブリー村にいた例の南から来たやつ、あいつをすぐに思い出しましたよ。ただあいつはここにいたやつらほど目立ってオークらしくはありませんでしたけどね。」

「わたしもあいつのことを考えていた。」と、アラゴルンがいいました。「ヘルム峡谷ではこの半オークどもを大勢相手にしなければならなかったんだよ。今にして思えば、あの南から来たやつがサルマンの間者《かんじゃ》だったことは明々白々のようだね。だが、あいつが黒の乗手たちとも通じていたのか、それともサルマンのためだけに活動してたのか、そこのところはわからんね。ああいった性悪なやつらは、いつ互いに手を結び、いつ互いにだましあうのか、知るのはむずかしいからな。」

「というわけで、ありとあらゆるやつらが寄り集まって、そう、どんなに少なく見ても一万はいたに違いないね。」と、メリーがいいました。「かれらがみんな門から出て行くのに一時間はかかったもの。公道を通って浅瀬の方に降りて行く部隊もあれば、あるいは公道からそれて東に向かう部隊もあった。そちらのほうは約一マイルほど先に、橋が作られているんだ。そこは川が非常に深い水路を流れてるんでね。立ってごらん、見えるから。やつらはみんな荒々しい声で歌ったり笑ったり、恐るべき騒がしさだった。ぼくには今や事態はローハンにとって暗澹《あんたん》たるものに思えた。しかし木の鬚《ひげ》は動じなかった。かれはいった。『わしの仕事は今夜はアイゼンガルドが相手じゃ。岩と石が相手じゃ。』とね。

「だけど、ぼくは暗闇で何が起こってるのか目には見えなかったんだけど、大門の門がふたたび閉じられるや否や、フオルンたちが南に進み始めたんじゃないかと考えた。かれらの仕事はオークどもが相手だったんだと思うね。朝になるとかれらは谷のずっと下の方にいた。ともかくそこには見通しのきかない暗がりがあったもの。

「サルマンが全軍勢を送りだすや、いよいよわれらの番が到来した。木の鬚《ひげ》はぼくたちを下に降ろすと、門に近づき、扉を叩き始めた。そしてサルマンに出て来るように呼ばわった。応答はなかった。城壁から矢や石が飛んでくるほかはね。だけどエントには矢は全然役立たずなんだよ。むろん矢はエントに傷を与えるし、ひどく怒らせはする。ちょうど羽蟲が刺すみたいにね。だけど、たとえ針山みたいに全身にオークの矢を受けようとも、エントはそれで別にひどい傷を受けるということはないんだね。一つには、かれらには毒が利《き》かない。そしてかれらの皮膚ときたらとっても厚くて、樹の皮よりも強靭《きょうじん》そうだもの。かれらをほんとにひどく傷つけるものがあるとすれば、それは非常に強い斧の一撃だね。かれらは斧が好きじゃない。しかし一人のエントに対するにはとても大勢の斧使いがいるだろうね。一度エントに切りつけたやつはもう二度と斧を揮《ふる》う機会は得られないからね。エントのこぶしでがーんとやられたら鉄の塊りだって薄くのされてしまうから。

「矢を数本体に受けると、木の鬚はようやく気が立ってきた、かれの言《い》い種《ぐさ》に従えば、断然『せっかち』になってきた。かれは『ホーン、ホム』と大きな音を発した。するとあと十二、三人のエントたちがのっしのっしとやって来た。怒ったエントというのはこわいもんだよ。かれらの手の指、足の指、それが岩をただしっかと摑むね。するともう岩はパン屑みたいにぼろぼろにちぎられちゃうんだ。それはまるで大樹の根が百年の間になしとげる仕事を目に見てるようだった。ただそれがほんの短い時間に圧縮されて見せられたんだ。

「かれらは押したり引っ張ったり引きちぎったりゆすったり叩いたりした。ガチャーン、ドスーン、ガラガラ、メリメリってね、五分たったらさしもの巨大な城門も崩れ落ちてしまった。エントの中には早くも城壁の中にどんどん喰いこみ始めたのもいる。まるで兎が砂の中に穴を掘るようにね。サルマンが何が起こったと思ったか、ぼくは知らない。だけどともかくこれにどう対処していいかかれにはわからなかったろう。もちろんかれの魔法の力も最近は衰えてきていたかもしれない。だけどどっちみちあいつはたいした肝っ玉は持ってないんだと思うな。つまりたくさんの奴隷だとか機械だとかといったものに取り巻かれないでたった一人困難な立場に立たされたとしたら本当の勇気はあまり出せないんじゃないかな。ぼくのいうことわかるかな。老ガンダルフとは大違いなんだよ。ぼくはかれの名声というものは初めから主としてかれがアイゼンガルドに居をかまえたその抜け目のなさによるのじゃないかと思うんだけど。」

「そうじゃない。」と、アラゴルンはいいました。「かつてはかれもその名声通り偉大だった。その知識は深く、その思考力は鋭く、その手は驚くほど熟練していた。そしてかれは人々の心を支配する力を持っていた。賢者を説得することができ、小人をおどかすことができた。その能力は今もまだ持っているに違いない。もし余人をまじえずかれと単独で話すことになったら安全な者はこの中つ国《なか　くに》には多くはいまい。かれが敗北を喫した今でさえ。ガンダルフにエルロンド、それにガラドリエルは安全だろう。今やかれの邪悪な心が露わになったのだから。しかしほかに安全なものはほとんどいまい。」

「エントたちは安全ですよ。」と、ピピンがいいました。「かれも一時はエントたちを懐柔したことがあったようなんだけど、その時きりで、二度とそうするわけにはいかなくなったんだ。それにともかくかれはエントを理解してなかったんだね。それでかれらを計算の埒外《らちがい》に置くという重大な誤りを犯してしまった。かれはエントたちに対処する計画をもっていなかった。そして一度《ひとたび》かれらが仕事を始めてしまえば計画なんか立ててる暇もないわけだ。われらの攻撃が始まるや、アイゼンガルドに残っていたわずかなねずみどもも、エントたちがこしらえた穴という穴から逃げ出して行った。エントたちは人間は尋問したあとで行かせた。ここまで来たのはたった三、四十人だったね。オークたちで逃げた者は、どの大きさのにしろ、あまりいないんじゃないかと思う。どっちみちフオルンたちからは逃げられなかったね。その頃までには谷間に降りて行った者のほかに、アイゼンガルドの周りはすっかりフオルンの森になってたんだもの。

「エントたちが南の城壁の大部分を瓦礫《がれき》と化し、手下たちのうち残ってた者がみんな逃げるなり、かれを見捨てて去ったあと、サルマンはあわてふためいて遁走《とんそう》した。われらが着いた時、かれは城門にいたらしい。かれは自分のすばらしい軍隊が進軍して行くのを見に来てたんだと思う。エントたちがはいりこんで来た時、かれは大急ぎでそこを去った。最初エントたちはかれを見つけなかった。しかしその頃には広がる夜空に星が満ち、その光でエントたちは見ることができた。そして不意にせっかちが叫び声をあげた。『木殺し、木殺し！』とね。せっかちは穏やかな性質なんだけど、それだけにそのことではなおさらひどくサルマンを憎んでいた。かれの一族はオークの斧で手ひどい苦しみを受けた。かれは内側の門から通じている道を跳ぶように駆け降りて行った。せっかちは気が立ってくると風のように動くことができる。白っぽい人影が一つ、立ち並ぶ柱の影の暗がりを見え隠れしながら走り去るところだった。それはもうちょっとで塔の入口に登る階段に達しようとしていた。だがそいつはきわどいところで逃れた。かれが戸口から中に滑り込んだ時には、せっかちがもうすぐ後ろに迫っていて、あと一歩か二歩で摑まえられて絞め殺されるところだったんだもの。

「サルマンが無事にオルサンクに戻って、問もなくだ。かれはその貴重な機械の一部を動かし始めた。それまでにアイゼンガルドの中には大勢のエントたちがはいっていた。せっかちについて来たのもいるし、北や東から飛び込んで来たのもいる。かれらはぶらぶら歩き回ってどんどんこわしていた。ところが突然火と汚ない蒸気が噴き出してきたのだ。広場中の通風孔という通風孔、立坑《たてあな》という立坑からほとばしり出し、火を吹き出した。エントのうち幾人かが火傷《やけど》を負って火ぶくれをこしらえた。かれらの一人、たしか橅《ぶな》の骨とよばれてたとても背の高いみめかたちのいいエントなんだけど、液状の火のしぶきを浴びて、まるで炬火《たいまつ》のように燃えた。恐ろしい光景だった。

「これはみんなをかんかんに怒らせてしまった。ぼくはそれまでかれらはもうこれで本当に怒ってるんだろうと思ってた。だが、ぼくの考え違いだった。かれらが本当に怒るとはどういうことなのか、やっとぼくにもわかった。それは肝をつぶすようなことだ。かれらは怒号し轟《とどろ》く音を発し、ラッパを吹き、とうとうしまいにはその音だけで岩がひび割れ、転がり落ちるのだった。メリーとぼくは地面に倒れ伏して、マントで耳に栓をした。エントたちは吹きすさぶ強風のようにオルサンクの岩壁の周りをぐるぐる歩きながら荒れ回り、立ち並ぶ柱を折り、立坑にはなだれのように石を投げ落とし、大きな平石を木の葉のように空中にほうり上げた。塔はぐるぐる旋回するつむじ風の真っ只中にあった。ぼくは鉄の柱が、石造の建造物の大きなかけらが何百フィートの高さにほうり上げられ、オルサンクの窓にぶつかるのを見た。だけど木の鬚《ひげ》は落ち着いていた。運よくかれは少しも火傷を負ってなかった。かれは自分の仲間たちが激昂《げっこう》のあまりわれとわが身を傷つけると困ると思っていた。また混乱にまぎれてサルマンがどこかの穴から逃げ出すと困ると思っていた。エントたちの多くがオルサンクの岩に自分の体をぶつけてみたが、この試みはうまくいかなかった。オルサンクの岩は固くてすべすべしている。あの中には何か魔法の力があるんだよ、多分ね。サルマンの魔法より古くてもっと強い力が。ともかくかれらはその岩に手をかけることができなかった。またひびを入らすこともできなかった。かえってぶつかって行った自分たちが打ち身をこしらえたり怪我をしたりした。

「そこで木の鬚が円形広場に出て行ってどなった。かれの恐ろしく大きな声はすべての喧噪《けんそう》を圧して響いた。不意にあたりはしーんと静まりかえった。その中で聞こえたのは塔の高窓から響く甲高《かんだか》い笑い声だった。これはエントたちに奇妙な効果を与えた。それまでかれらはかんかんに怒っていた。だが今は氷のように冷たく厳しく、そして静かになった。かれらは広場から立ち去っ

て木の鬚《ひげ》の周りに集まり、静まりかえって立っていた。かれはエントたちの言葉でしばらくかれらに話をした。ぼくはかれがその年経た頭の中でずっと前から考えていた計画のことをみんなに話していたのだと思う。そのあとみんなはただ黙々と白みかけた光の中に消え去って行った。その頃にはもう夜が明けかかっていたのだ。塔には見張りが立てられていたんだろうけど、かれらは非常にうまく暗闇に隠れ、こそりとも動かなかったので、ぼくには見えなかった。あとの連中は北の方に行ってしまった。その日は一日中、かれらは忙しくしていた。ぼくたちには見えなかったけれど。ぼくたちはたいていずっと、二人だけで放っておかれた。陰気くさい日だった。ぼくたちは少しばかり歩き回ってみた。といってもなるたけオルサンクの窓から見られない所を歩いたんだけど。あそこの窓はどれもおどかすようにぼくたちをじっと睨《ね》めつけてるんだもの。その日はかなりの時間をぼくたちは食べもの探しに使った。それからまた腰を下ろして、はるか南のローハンでは何が起こってるんだろうとか、ぼくらの一行のあとの人たちはみんなどうしてしまったんだろうとか、しゃべったりもした。時折り遠くの方でパラパラと石の落ちる音、ズシーンと山々に響く音が聞こえた。

「午後になってぼくたちは円形広場の周りを回って、どういうことになっているのか見に行ってみた。谷間の突端に大きな薄暗いフオルンの森があった。北側の城壁を回った所にもう一つあった。ぼくたちはその中にあえてはいってみようとはしなかった。しかしその中では引き裂いたり引きちぎったりする作業が進行していた。エントたちとフオルンたちは大きな穴や溝を掘り、大きな池やダムを作り、アイゼン川の水全部と見つかる限りの泉や渓流の水をことごとく集めていたのだ。ぼくたちは働いているかれらをあとにして立ち去った。

「薄暗くなった頃、木の鬚が城門まで戻って来た。かれは鼻歌を歌い、体を叩いて調子をとりながら、何やら満足げな様子だった。かれは立ったまま大きな両の腕と両の脚をぐんと伸ばして深呼吸をした。ぼくはかれにお疲れですかとたずねた。

「『お疲れ？』と、かれはいった。『お疲れかと？　いいや、疲れとらん。ただ体が突っ張っとるだけじゃ。わしはエント川の水をぐーっと一杯飲む必要がある。わしらは一生懸命働いた。今日は今まで何年も何年もかかってやってきた以上の石割り、土喰《つちは》みをやったぞ。だがそれももうほとんど終わった。夜になったらこの城門の近くや、この古いトンネルの中をうろうろするんじゃないよ！　水がはいってくるかもしれんからな――それもしばらくの間は汚い水じゃろうて。サルマンの汚したものがすっかり洗い流されてしまうまではな。それからアイゼンはふたたび水清く流れることができるのじゃ。』かれは城壁をまた少しばかり引き倒し始めたけど、それはただおもしろがってやっているみたいにのんびりした調子だった。

「ぼくたちは横になって一眠りしたいと思ってどこが安全だろうかと考えてたら、ちょうどその時今までに輪をかけて驚くべき事が起きたのだ。馬に乗った人が道を疾駆して登って来る音が聞こえたんだ。メリーとぼくは静かに伏せ、木の鬚はアーチ門の下の暗がりに身を隠した。突然大きな馬が長い脚を大きく跳躍させて、銀の炎のように現われ出た。もう暗くなってたけど、ぼくには乗手の顔がはっきり見えた。その顔は輝いているように見えた。そしてかれの着ているものは白一色だった。ぼくは体を起こし、口をぽかんと開けて、ただまじまじとみつめるばかりだった。大声で呼ぼうとしたんだけど、声が出ない。

「その必要はなかった。かれはちょうどぼくたちのそばで立ち止まり、ぼくたちを見下ろした。『ガンダルフ！』ようやくぼくは口に出した。だけどその声ときたら囁《ささや》き声でしかないんだ。そこでかれは、『よう、ピピン！　これは思いがけぬ喜びじゃのう！』といったと思う？　とんでもない！　こういったんだ。『起きろ、トゥックの阿呆息子が！　一体全体この廃墟《はいきょ》のどこに木の鬚《ひげ》はおるんじゃ？　わしはかれに用がある。急げ！』だと。

「木の鬚はかれの声を聞いて、すぐに暗がりから出て来た。そして不思議な出会いとなった。ぼくは驚いた。何故って、二人とも全然驚いている様子はなかったもの。ガンダルフは明らかにここに来れば木の鬚が見つかると思ってたようだし、木の鬚は木の鬚で、まるでかれに会うつもりで門の周りをぶらぶらしてたかもしれないからだ。だけどこの老エントにはモリアでのことをすっかり話してあるんだけどね。でもその時かれが妙な目つきでぼくたちを見たのを、ぼくは思い出した。ぼくに想像できることといえばかれはそれ以前にガンダルフを見かけたか、あるいはかれのことで何か耳にしてたのじゃないか、ただゆっくりかまえて別に何もいおうとしなかっただけで。なにしろ『あわてるな』というのがかれの銘言なんだからね。だけどだれだって、たとえエルフたちだって、その場にいない時のガンダルフの動静については多くをいわないだろうけどね。

「『ふーむ！　ガンダルフや！』と、木の鬚はいった。『お前さんが来てくれてよかった。森に水、木に石、これならわしにもどうにかなる。だが、ここにはどうにかしなきゃいけない魔法使が一人おるんでなあ。』

「『木の鬚よ、』と、ガンダルフはいった。『わしにはあんたの助けが必要なんじゃ。あんたはおおいにやってくれた。だがもっとやってほしいんじゃ。わしは約一万のオークどもをどうにかせねばならんのじゃ。』

「それからこの二人はそこから立ち去るとどこか隅っこに行って相談してた。木の鬚にはさぞかしとてもせっかちに思えただろうよ。何故ってガンダルフは恐ろしく急いでいたからねえ。そして二人がぼくたちに聞こえないところに行ってしまうまでにもうひどく早口でしゃべってたからね。かれらが留守にしてたのはほんの数分、恐らく十五分ぐらいだったろうね。やがてガンダルフがぼくたちの所に戻って来た。かれはほっとしたように見えた。陽気といってもいいくらいだった。やっとその時になってぼくたちに会えて嬉しいなんていったんだからね。

「『それにしてもガンダルフ、』と、ぼくは叫んだよ。『あなたはどこに行ってらしたんです？　そしてほかの連中にはお会いになりましたか？』ってね。

「『どこに行ってたにしろ、わしは戻って来たぞ。』かれはかけ値なしのガンダルフ調で答えた。『さよう、ほかの連中のうち何人かには会った。だが今その話をしてるわけにはいかん。今夜は危急存亡《ききゅうそんぼう》の夜じゃ。そしてわしは馬を飛ばさねばならぬ。だが夜明けは今より明るいかもしれぬ。もしそうであれば、われらはふたたび相会うことになろう。くれぐれも体を大事にな。それからオルサンクに近寄るでないぞ！　ではさらばじゃ！』

「ガンダルフが行ってしまったあと、木の鬚《ひげ》はしきりに考えこんでいた。かれは明らかに短い間にたくさんのことを教えてもらったらしく、その意味をとっくりと反芻《はんすう》してたんだろうね。かれはぼくたちを見ていった。『ふむ、そうじゃな、お前さんたちはわしが思ってたほどせっかちなやつらじゃないようじゃ。お前さんたちは話していいことでもずっと控え目にしか話さず、話すべきこと以外には何も話さなかったからな。ふむ、これはいろいろと初耳じゃわい。まちがいなしじゃ！　さてさてこれで木の鬚もまた忙しくなるに違いないぞ。』

「かれが行く前に、ぼくたちはかれから少し話を聞いた。その話の内容はちっともぼくたちの心を明るくしてくれるものではなかったが。だけど差し当たってはぼくたちはあなた方三人のことを余計に考えた。フロドやサムのことよりもね。あるいは気の毒なボロミアのことよりもね。何故って、どうやら大きな合戦が行なわれているか、もうすぐ行なわれるらしく、あなた方もそれに加わっていて、二度とそこから出て来れないかもしれないというのだからね。

「『フオルンたちが手伝うさ。』と、木の鬚はいった。それからかれは行ってしまい、今朝になるまでぼくたちはかれに会わなかった。

「深い闇夜だった。ぼくたちは石ころの山の上に横になったけれど、一寸先は何も見えなかった。靄《もや》と暗闇が何もかも蔽い隠してしまい、まるでぼくたちは大きな毛布ですっぽりととり囲まれてしまったみたいだった。空気は暑くよどんでいるように思えた。そのうえ、葉のそよぐ音、枝のきしむ音、そして通り過ぎていく声のようなざわめきに満ちていた。きっと更に何百というフオルンたちが戦いを助けるために通り過ぎて行ったのに違いないと思う。それよりあと、ずっと南の方で雷の轟《とどろ》く音が聞こえ、ローハンのはるかかなたで稲妻が閃めいた。時折りぼくたちは何マイルも何マイルもかなたにある山々の頂が突然黒白鮮やかに浮かび上がったかと思うと、次にはもう消え去るのを見ることができた。ぼくたちの背後にも山々に轟く雷のような音がしたが、雷とは違った。時々、谷間全体に反響した。

「エントたちがダムを破り、北壁に開《あ》けた割れ目から集めた水をすっかりアイゼンガルドに流し込んだのは真夜中頃だったに違いない。フオルンたちの闇は去り、雷は遠ざかっていった。月が西の山々の陰に沈もうとしていた。

「アイゼンガルドは次第に忍び込んでくる真っ黒い流れや池で埋まり始めた。水は沈みゆく月の最後の光を受けてきらめきながら広場中に広がっていった。あちこちで水は立坑《たてあな》や噴出孔を見つけてそこに流れ込んでいった。白い蒸気がシュッシュッと音を立てながら、もうもうと立ちのぼってきた。煙が波のうねるようにのぼってきた。爆発が起こり、火が噴き上がってきた。大きな渦巻き状の湯気が旋回しながらのぼっていき、オルサンクにぐるぐる絡まったので、しまいにはオルサンクは高い雲の峰のように見えた。それも下は火と燃え、上は月光に照らされているのだ。水はなおもどんどん流れ込み、とうとうしまいには、アイゼンガルドは湯気を上げてぐつぐつ煮立っている平たい大きなシチュー鍋みたいな有様になった。」

「そういえば、昨夜、われわれがナン・クルニアの入口まで来た時、雲のように煙や水蒸気が立ちのぼるのが南の方から見えたからね。」と、アラゴルンがいいました。「われわれはサルマンがまた何か新しい邪悪な魔法を考え出して、われわれを迎えるつもりじゃないかと思ったものだ。」

「ところが大違い！」と、ピピンがいいました。「あいつは恐らく息もふさがる思いで、もう笑うどころじゃなかったでしょう。朝になるまでに、昨日の朝ですよ、水は穴という穴に浸み通り、濃い霧が立ちこめた。ぼくたちはあそこの衛兵所に避難したんだけど、いささかこわかったね。湖が溢れるほどになって、この古いトンネルから流れ出したんだ。そして水はどんどん階段の上まで上がってきた。ぼくたちは穴の中で水攻めにあったオーク同様、このまま出るに出られなくなるのかと思った。だけど、貯蔵室の奥に螺旋《らせん》階段があるのがわかって、そこからアーチ門の上に出られた。脱け出すのは大変だったけどね。なにしろ階段だってひび割れができてるし、てっぺんに近い所では落石で半分塞《ふさ》がってるんだから。ぼくたちはそこで出水《でみず》をはるか下に見下ろして坐り、アイゼンガルドが水浸《びた》しになるのを見ていた。エントたちは火がすっかり消え、洞穴という洞穴がふさがるまでさらに水を流し続けた。霧は次第に寄り集まって水蒸気となって空にのぼり、大きなきのこ雲を形作った。その高さは一マイルはあったに違いないね。夕方になると、東の丘陵に大きな虹がかかった。それから折りしも沈もうとする太陽は山腹にしぐれる濃い霧雨に隠されてしまった。どこもかしこもとても静かになった。ずっと遠くで、狼が数匹陰気くさく吠えてるだけだ。エントたちは夜にはいってから水を流し込むのを止め、アイゼンの水を元の流れに戻した。そしてこれが一切の終わりだった。

「それから水はまた引き始めた。地下の洞窟のどこかに排出口があるんだよ、きっと。もしサルマンがあの塔の窓から外を覗《のぞ》いたとしたら、さぞかし何もかも雑然と荒れ果てて、手のつけようもないように見えただろうよ。ぼくたちはとても心細くなった。見渡す限りの廃墟《はいきょ》の中で話をしようにもエント一人目につかないのだもの。だからさっぱり様子はわからないし。その夜はアーチの上の屋根で一晩過ごしたんだけど。寒いし、じめじめしてるし、一睡もしなかった。いつ何が起こるかわからないという感じがしたんだよ。サルマンは相変わらず塔の中に健在だしね。夜中に谷間の方から風が吹き上げてくるような音がしたっけ。ぼくの考えでは留守にしていたエントやフオルンたちがその時戻って来たんだと思う。だけど今はみんなどこに行ってしまってるのか、それは知らないけど。ぼくたちがどうやら下に降りて、もう一度あたりを見回したのは朝になってからで、靄《もや》がかかり、じとじとした朝だった。そしてあたりにはだれもいなかった。話すことは大体これだけだよ。あの騒ぎのあとから見ると、今は平和な感じさえするくらいだな。それから安心できる感じもね。ともかくガンダルフが戻って来たんだから。これでぼくも眠れるよ！」

みんなしばらく黙り込んでいました。ギムリがパイプを詰め直しました。「不思議に思うことが一つある。」かれは自分の火打石と火口《ほくち》でパイプに火をつけながらいいました。「蛇の舌のことだよ。かれはサルマンと一緒にいるって、あんたはセオデン王にいってたね。あそこまでどうやって行ったんだろう？」

「そうそう、あいつのことを忘れてた。」と、ピピンはいいました。「あいつは今朝になってやっとここにやって来たんだ。ぼくたちが煖炉に火をつけて、ちょうど朝食を食べ終わった時、木の鬚《ひげ》がまた姿を見せた。例のホーン、ホムという声が聞こえ、ぼくたちの名前を外から呼ぶのが聞こえた。

「『お前さんたちが変わりなくやってるか、ちょいと見に来たんじゃよ。』と、かれはいった。『それにお前さんたちに知らせてあげることもあってな。フオルンたちが戻って来たんじゃ。万事うまくいったわい。そうじゃよ、まったく上々《じようじよう》じゃ！』かれは声をあげて笑いながら、自分の両腿《りようもも》をピシャリピシャリと打《ぶ》った。『アイゼンガルドにはもう一匹のオークもおらん。一本の斧もありゃせん！　それから、日が暮れんうちに南からやって来る客人方があるぞ。その中にはお前さんたちが会って喜ぶ者たちもいるはずじゃ。』

「かれがこういいもやらぬうちに、道の方から馬の蹄の音が聞こえてきた。ぼくたちは急いで門の前まで走り出た。ぼくは立ったままじっと目を凝《こ》らした。今にも馳夫《はせお》さんかガンダルフが手の者を率いて馬でやって来るのが見えるんじゃないかと半ば予期したもんだから。ところが靄《もや》の中から現われたのは、疲れきった老いぼれ馬に乗った男で、その男自身何だか妙なねじ曲がった感じのやつだった。ほかにはだれもいなかった。あいつは靄の中から出て来てみると、突然目の前に見えたのは一面の廃墟だもんだから、馬にすわったままあっけにとられ、顔からはほとんど血の気も失せるほどだった。かれは狼狽《ろうばい》のあまり、最初はぼくたちに気がつかないようだった。気がついた時には、かれはアッと声をあげ、馬首をめぐらして、立ち去ろうとした。けれど木の鬚が三歩大股に歩んで、長い腕を伸ばし、あいつをつまみ上げて鞍から降ろした。馬はこわがって逃げ出し、あいつは地面にはいつくばった。かれは自分のことを王の友人にして相談役であるグリマであると述べ、重要な用件を帯びてセオデン王からサルマンの許に遣《つか》わされたのだといった。

「『オークどもでいっぱいの身を隠すものもない土地に馬を乗り入れて行こうという者はほかにだれ一人いなかったもんですから、』と、あいつはいった。『そこでわたくしが遣わされることになりました。それでわたくしは危険な旅をしてまいったのです。腹はすくし疲れ果てました。狼どもに追われ、道を外れてずっと北の方まで逃げて行きましたのでなあ。』

「ぼくはあいつが木の鬚の方をちらと横目で見たのに気がついた。それでぼくは心の中で『嘘つきめ』といった。木の鬚は例の悠長なやり方で五、六分あいつをじっと見てたもんだから、あのあわれな男は地面の上で体をもじもじさせておった。それからやっとかれは口を開いた。『ほう、ふむ、わしはお前さんが来ると思って待っとったんじゃよ、蛇の舌殿や』男はこの名前を聞いてぎくりとした。『ガンダルフが先にここに来たんじゃ。それでわしはお前さんのことについては必要なことだけは知っておる。それからお前さんをどうしたらいいかも知っておる。鼠は全部同じ鼠捕りの中に入れておけ、ガンダルフがこういっておったんじゃ。わしはそうするつもりよ。今のところはわしがアイゼンガルドの主人で、サルマンは塔の中に閉じ込められておる。お前さんあそこに行って考えつく限りの用件をかれに伝えるといいよ。』

「『行かせてください、行かせてください！』と、蛇の舌はいった。『どうやって行くかわかってます。』

「『どうやって行くかわかっておった、ということじゃろ。』と、木の鬚《ひげ》がいった。『だがここもちいっとばかり変わったのでなあ。見に行くがいい！』

「かれは蛇の舌を行かせた。蛇の舌はよろよろしながらアーチ口を通って行った。ぼくたちはそのすぐあとについて行った。かれはやっと円形広場の中にはいり、自分とオルサンクの間にはなみなみと水が湛《たた》えられているのを見た。そこでかれはぼくたちの方を振り向いた。

「『帰らせてください！』哀れっぽい声であいつはいった。『帰らせてください！　わたくしのことづかった用件は今となってはむだです。』

「『たしかにむだじゃろうて。』と、木の鬚はいいました。『だが、お前にはたった二つしか選べんぞ。ガンダルフとお前の主君が到着するまで、わしと一緒に留まるか、それともこの水を渡るかじゃ。どっちを選ぶつもりじゃ？』

「あの男は主君と聞いただけで震えあがり、片足を水の中に入れた。だけどかれはすぐに水から退いた。『わたくしは泳げません。』やつはそういうのだ。

「『水は深くない。』と、木の鬚はいった。『汚いことは汚いが、お前には別にどうってこともなかろう、蛇の舌殿や。とっととはいって行け！』

「そういわれると同時にあの情けないやつはまごまごしながら水の中にはいって行った。水はあいつの姿がぼくから見えなくなるほど遠ざからないうちに、あいつの頸のあたりまできた。それからあいつは古い樽《たる》か材木のようなものにしがみついてたが、それが最後で、あとはもうぼくには見えなかった。だけど木の鬚はかれのあとを追って水の中を渡り、かれの進み具合を見届けた。

「『やれやれ、行きおったわい。』かれは戻って来るとそういった。『どぶねずみみたいにぼとぼと水を垂らしながら階段をはい上がって行ったぞ。塔にはまだだれかがおってな。手が一本にゅっと出てきて、あいつを引きずりこんだ。そこであいつもあそこにおるわけじゃ。あいつの気に入るような歓迎を受けるといいが。さて、わしはこのぬるぬるしたものをきれいさっぱり洗い流してこにゃ。だれか会いたいという者がおれば、わしはずっと北側の方におるからな。ここにはエントが飲むのはおろか水浴びするにも適したきれいな水がないんじゃ。そういうわけじゃから、お前さんたち二人に頼んどくぞ。門の所で客人方が見えるのを見張っててくれ。その中には、いいかね、ローハン平原の王もおる！　お前さんたちにわかってる通り然るべくお迎えするんじゃぞ。王の率いる騎士たちはオークたちと一大合戦を戦って来たんじゃ。多分お前さんたちはこのような貴人に使うちゃんとした人間のいい方を知っとるじゃろ。エントよりはな。わしの知っとるだけでもこの緑の平原には数多《あまた》の王たちがおったのじゃが、わしはついにかれらの言葉もかれらの名前も覚えないでしまった。客人方は人間の食べものを欲しがるじゃろうが、お前さんたちにはわかっておるな。そこで、できればじゃ、王が食べるのにふさわしいとお前さんたちが思うものを見つけておいてくれ。』これで話はおしまいだよ。だけど、この蛇の舌っていうのがだれだか知りたいなあ。あいつは本当に王の相談役だったのかな？」

「そうだ。」と、アラゴルンがいいました。「しかし同時にローハンにおけるサルマンの間者《かんじゃ》であり、召使でもあった。運命はかれに相応する以上には親切にはしてくれなかった。われながら強固にして壮大なるものと思っていたものがことごとく廃墟《はいきょ》と化したのを見れば、それだけで罰を受けたも同然だったに違いない。だが、一層悪いことがかれを待ってるんじゃないかと思うね。」

「ええ、木の鬚《ひげ》はなにも親切心からあいつをオルサンクに行かせたのではないとぼくも思います。」と、メリーがいいました。「かれはそのことでどうも物騒な楽しみかたをしてるみたいで、水浴びと水飲みに行く時でも思い出し笑いをしてましたよ。ぼくたち二人はそのあと随分忙しく過ごした。漂流物を探したり、そこらじゅうをひっかきまわしたり。この近くで、それぞれ別の所に二、三カ所、貯蔵室を見つけた。どれも水より上の所にね。だけど木の鬚がエントを何人か送ってよこして、分捕品の大部分はかれらが持って行ってしまった。

「『おれたちは二十五人分の人間の食べものがほしいんじゃよ。』と、エントたちはいった。だから、あんたたちが到着するまでに、だれかが注意深くあなたたち一行の人数を数えておいたんだってことがこれでわかるでしょ。あんたたち三人ももちろん偉い人たちと一緒ということになってたんだけどね。だけどここよりご馳走ということはなかったでしょうさ。ここには請け合ってもいいけど向こうに送ったのと同じくらいとってあるしね。向こうよりいいくらいだ。何故って、飲みものは送らなかったもの。

「『飲みものはどうします？』ぼくはエントたちにたずねた。

「『アイゼンの水があるさ。』と、かれらはいった。『あの水はエントにも人間にもけっこうじゃ。』それにしても、エントたちが山の泉から取った飲み水を醸《かも》す時間が取れるといいけど。そうすれば、ガンダルフが戻って来た時、かれの顎鬚《あごひげ》がくるくる渦巻いているのが見えるでしょうよ。エントたちが行ってしまうと、ぼくたちは急に疲れが出て、お腹がすいてしまった。だが、ぼくたちは文句はいわなかった――ぼくたちの働きは十分に酬《むく》われたんでね。ピピンが漂流物の中の金的ともいうべき角笛《つのぶえ》吹き印の樽《たる》を見つけたのも、ぼくたちが人間の食べものを漁《あさ》っている時だったからね。『食後のパイプ草に如《し》くものなし。』これはピピンがいったんだけど、ま、そんな事情でこんな現状にいたったたってわけですよ。」

「それで何もかもすっかり納得がいったよ。」と、ギムリがいいました。

「一つのことを除けばね、」と、アラゴルンがいいました。「南四《し》が一《いち》の庄《しょう》のパイプ葉がアイゼンガルドにあることだよ。考えれば考えるほどおかしく思えてくるのだ。わたしはアイゼンガルドにこそ一度も来たことはないけど、この地方を旅したことはある。そしてローハンとホビット庄の間に広がっている無人の国々をよく知っている。もう何年もあそこをひとや物が通ったことはなかった、少なくとも公然とはね。サルマンはホビット庄のだれかとひそかに取引きを結んでたのじゃないかな。セオデン王の王宮以外にも蛇の舌の輩《やから》は見つかるかもしれない。樽には日付けがあったかな？」

「ええ、」と、ピピンがいいました。「一四一七年、つまり去年のです。いや、そうじゃない、今からいえば、もちろんその前の年だ。よい葉の取れた年ですよ。」

「なるほど、するとどんな悪しきことが起こったにせよ、もう終わってると考えよう。そうでないにしろ、今のところはわれらの力の及ばぬことだからね。」と、アラゴルンがいいました。「それにしても、このことはガンダルフにはちょっといっておこう。かれのいろいろな大問題の中では些細《ささい》なことにしか思えぬだろうけれど。」

「ガンダルフは何をしてるんだろう。」と、メリーがいいました。「午後もだんだん経っていく。一回りして来ようよ！　馳夫《はせお》さん、もしお望みなら、ともかく今だったらアイゼンガルドにはいってごらんになれますよ。もっともあまり気持ちのいい眺めじゃないですけど。」

十　サルマンの声

かれらは崩れ落ちたトンネルを通り抜け、瓦礫《がれき》の山の上に立って、オルサンクの黒っぽい岩と、そのたくさんの窓をみつめました。それは周りを取りかこむ廃墟《はいきょ》の中にあって今なお一つの威嚇《いかく》的な存在でありました。水はもうほとんど退《ひ》いていました。ところどころに陰気な水たまりが残り、浮き泡や漂着物に被われていましたが、円形広場の大部分はふたたびむき出しとなり、一面に泥土とこわれた岩壁の広がる荒涼とした景色で、黒く焦げた穴があちこちにぽっかり口を開き、さまざまな方向に酔いどれたように傾いた杭《くい》や柱が点在していました。打ち砕かれた鉢のような広場のふちには、嵐で砂利が打ち上げられた浜のように土の山や、泥砂の斜面ができていました。その先には、緑の木々の絡まり合った谷間が山脈の二つの暗い支脈の間を走る長い峡谷の中に伸びていました。荒れ果てた広場の向こうから騎馬の一隊が道を拾いながらやって来るのが見えました。かれらは北側からはいって来て、もうオルサンクのすぐそばまで来ていました。

「ガンダルフにセオデン王、そして王の騎士たちだ！」と、レゴラスがいいました。「あの人たちに会いに行こう！」

「歩く時気をつけて！」と、メリーがいいました。「ゆるんだ敷石があるから、用心しないとそれがかしいで穴の中に落っこちるかもしれない。」

一同は城門からオルサンクまでの道の残った所を辿《たど》って行きましたが、敷石はひび割れ、ぬるぬるしていましたので、ゆっくり進むほかはありませんでした。馬上の一行はかれらが近づいて来るのを見ると、岩の塔の陰に立ち止まり、かれらを待ちました。ガンダルフが馬を進めて、かれらを出迎えました。

「じつはな、木の鬚《ひげ》とわしは、興味ある話し合いをして、二、三計画を立てたんじゃ。」と、かれはいいました。「わしらはまた全員おおいに必要としていた休息もいくらかとった。これでわしらはふたたび道を続けねばならぬ。お前さんたちもみんなよく休み、よく食べて元気を回復したかな？」

「ええ、」と、メリーがいいました。「だけどぼくたちの話し合いはパイプの煙に始まり、パイプの煙に終わったんです。それでもぼくたちは前ほどサルマンに対して敵意を感じていませんよ。」

「本当かね？」と、ガンダルフがいいました。「ところで、わしはそうじゃない。わしは行く前に、これから最後の仕事をせねばならんのじゃ。サルマンに別れの挨拶に行く。危険でもあるし、恐らくむだでもあるじゃろう。じゃが、ぜひそうせねばならん。お前さんたちのうちで来たい者は一緒に来るがよい——だが、用心するんじゃぞ！　それからふざけちゃいかん！　ふざけてる場合じゃない。」

「わたしは行きますよ。」とギムリがいいました。「サルマンに会って、かれが本当にあなたに似てるのかどうか知りたいんです。」

「どうやって知るつもりかね、ドワーフ君や？」と、ガンダルフがいいました。「サルマンはもしそれがあんたに対するかれの目的にかなうとあれば、あんたの目にわしそっくりに見せかけることができるのじゃよ。それにお前さんはかれの偽装をすっかり見破るほど賢明かな？　まあ、いまにわかるじゃろう。多分な。かれはこんなにたくさんの目が集まっている所に姿を見せるのはいやがるかもしれない。じゃがわしはエントたちにここから見えない所に行っててくれるようにいっておいたから、多分かれを説き伏せて出て来させられるじゃろう。」

「危険というのは何ですか？」と、ピピンがたずねました。「ぼくたちに矢を射かけたり、窓から火を浴びせたりするのかな？　それとも遠くからぼくたちに魔法をかけることができるんだろうか？」

「お前さんが最後にいったことが一番ありそうなことじゃ、お前さんがふわふわした気持ちでかれの戸口に寄って行けばな。」と、ガンダルフがいいました。「じゃが、かれに何ができるか、あるいは何をしでかそうとするか、それは知りようがない。追いつめられた獣に近づくのは安全ではないぞ。それにサルマンには、お前さんたちが予想していないさまざまな能力がある。かれの声に気をつけるがいいぞ！」

一行はオルサンクの下まで来ました。オルサンクの岩は黒く、濡れたように光っていました。多面な石はまるで今鑿《のみ》で刻まれたばかりのような鋭い稜角《りょうかく》を見せていました。わずかなひっかき傷と、土台の近くに落ちている薄く剝《は》げたような小さなかけらだけが、エントの憤怒を蒙《こうむ》った唯一の痕跡でした。

東側に大きな戸口があり、それは二本の柱石の間に作られていて、地面よりずっと高い所にありました。戸口の上に鎧戸《よろいど》の下りた窓が一つあって、それは鉄柵で囲われた露台《バルコニー》に面していました。戸口の敷居のところまで達している二十七段の広い石段は同じ黒い石を切り出して作ったものですが、その石工の技《わざ》は今の世には知られないものでした。塔にはいる入口はこれしかありませんでした。しかし上へ上へと伸びていく壁には、高い窓がいくつも厚い岩壁を切り開いて作られ、外にせまく内側に広い狭間《はざま》になっていました。ずっと上の方の窓は、四本の角笛《つのぶえ》状の石塔の真っ直に切り立った面についた小さな目のように見えました。

石段の下の所で、ガンダルフと王は馬を降りました。「わしは登ってみる。」と、ガンダルフがいいました。「わしはオルサンクは初めてではない。じゃから危険は心得ておる。」

「予も登ってみるぞ。」と、王はいいました。「予は老齢で、もはやいかなる危険も恐ろしいとは思わぬ。予は予に対してあれほど多くの悪事をなした敵と話がしたいのじゃ。エオメルに一緒に来てもらおう。そして老いた予の足許がふらつかぬよう気をつけてもらうとしよう。」

「御意《ぎょい》のままに、」と、ガンダルフがいいました。「わしはアラゴルンに一緒に来てもらうとしよう。あとの者は階段の下で待っていてくれ。そこで十分聞こえもし、見えもしよう、聞くべきこと、見るべきことがあるとすれば。」

「いやいや！」と、ギムリがいいました。「レゴラスとわたしはもっと近くで見たいと思っています。われら両人はどちらもここではただ一人われらの種族を代表しているからです。わたしたちは二人ともお伴をします。」

「それなら来るがよい！」ガンダルフはそういうと石段を登って行きました。かれと並んでセオデンも登って行きました。

ローハンの乗手たちは落ち着かなげに馬に腰を据えたまま、石段の両側にかたまって、主君の身にふりかかるかもしれぬ事態を案じて、薄気味悪そうに大きな塔を見上げていました。メリーとピピンは石段の一番下の段に腰を下ろしましたが、自分たちが取るに足りない存在で、たよりない身であることをひしひしと感じるのでした。

「ここから門までどろどろ道を半マイル行けばいいんだ！」と、ピピンが呟《つぶや》きました。「このまま気づかれないようにそっと衛兵所まで戻ってしまえるといいんだけど！　ぼくたち何のために来たんだろう？　だれもぼくたちにいてほしいっていってないのに。」

ガンダルフはオルサンクの戸口の前に立って、杖で扉を叩きました。うつろな音が響きました。「サルマン、サルマン！」かれは大きな命令するような声で叫びました。「サルマン、出てこい！」

しばらくの間、何の応答も聞かれませんでした。ようやく戸口の上の窓が開きましたが、その暗い窓辺には人の姿が見られませんでした。

「どなたですかな？」と、声がいいました。「何のご用ですかな？」

セオデンはそれを聞いてはっとしました。「予はあの声を知っておる。」と、かれはいいました。「予は初めてあの声に耳を傾けた日のことを呪うぞ。」

「蛇の舌グリマよ、行ってサルマンを連れて来るがよい！　きさまはかれの下僕になったんじゃろうが。」と、ガンダルフがいいました。「そしてわしらの時間をつぶさんでくれ！」

窓が閉まりました。一同は待ちました。突然別の声が話し出しました。耳に快く流れる低い声で、その響き自体に心をとろかす魔力がありました。不用心にその声に耳を傾ける者は聞いた言葉を滅多にそのまま伝えることはできず、伝え得たとすれば、その時は、その言葉にほとんど力が残っていないことに気がついて驚くのでした。かれらが主に憶えていることといえば、その声の話すのを聞くのは喜びであり、その声のいうことは何もかも賢明にして理にかなったものに思え、自分も速やかにそれに同意することによっていかにも賢明であるように見せたいという強い願いが起こったということだけでした。他の者が話すと、それは対照的に荒々しく粗暴なものに思えました。そしてもしこの者たちがあの声に反駁《はんばく》するようなことがあると、声の呪縛《じゅばく》下にある者たちの心にはむらむらと怒りの火が燃えるのでした。ある者にとっては、その呪縛は声が自分に話しかける間しか続かず、従って、かれらはそれが別の者に話しかけると、ちょうど他の者たちがびっくりして見とれている手品師のトリックを見抜いた人のように微笑を浮かべるのです。その声はその響きだけで、多くの者の心をとらえるのですが、その声にすっかり征服された者にとって、その呪縛の力はそこから遠く離れても続き、いつもそのものやわらかな声が耳に囁《ささや》き促《うなが》すのを聞くのでした。しかし冷静でいられる者は一人もいません。声の持ち主が自らその声を制している限り、その声の嘆願と命令を理性と意志の努力なしにはねつけることのできる者は一人もいないのです。

「何かな？」声は今度は穏かな質問の形でいいました。「お前さん方はどういうわけでわしの休息を妨げねばならぬのかな？　夜も昼もわしをちっともそっとしておいてはくれぬのか？」その声音《こわね》は不当な仕打ちを受けて悲しんでいる優しい心の持ち主のもののように聞こえるのでした。

一同はびっくりして上を見ました。何故ならかれが部屋の外に出て来たような気配を少しも聞かなかったからです。かれらは鉄柵の所に人影が一つ現われ、かれらの方を見下ろしているのを見ました。大きなマントにくるまった老人で、マントの色は何色とも判じかねました。何故なら、かれらの目の動きにつれ、あるいはかれの身動きにつれて、色が変わるからでした。かれの顔は面長で、秀でた額を持ち、深い暗い日は測り難く底知れなかったのですが、今けまじめで優しげな、そしていくらか疲れた様子を帯びていました。かれの髪と顎鬚《あごひげ》は白く、唇と両耳の周りにだけまだ黒いものが房《ふさ》になって残っていました。

「似てる、だけれど似てない。」と、ギムリが呟《つぶや》きました。

「ところで、」ものやわらかな声はいいました。「お前さん方のうち、少なくとも二人は名前がわかっておる。ガンダルフのことは知りすぎる程知っておる故、かれが援助と助言を求めてここにやって来たという望みは抱いておらぬが。だが、ローハンなるマーク国の王、セオデン殿よ、殿はその高貴なるご紋章、それにもましてエオル王家代々の秀麗なるご容貌によって、名のられなくともそれと知られましたぞ。ああ、かの誉れ高きセンゲル王にふさわしきご子息よ！　殿は、何故もっと早く、それも友人としておいでになられませんでしたか？　いかほどわたしは願ったことでしょうか！　西の国々の最強の王なる殿にお目にかかりたいと。とりわけ近年に至ってその願いは強まるばかりでした。殿を取り巻く賢明ならざる悪しき助言からお救い申し上げたかったのですぞ！　されどももはや遅過ぎましょうかな？　わしの蒙《こうむ》った数々の損害、それには悲しいかな、ローハンの方々も幾分かの役割を果たされたが、にもかかわらず、わしは殿をお救い致しましょうぞ。殿がすでにお取りになった道を進まれる限り、避けようもなく近づく破滅より救い出して進ぜましょう。まことに今となっては殿をお助けできるのはわしを措《お》いてはありませぬぞ。」

セオデンは話をするかのように口を開きましたが、何もいいませんでした。かれは上を見上げて、サルマンの顔を見ました。サルマンはその暗い重々しい目でじっとかれを見下ろしていました。王はついでかたわらのガンダルフを見ました。そしてためらいの様子を見せました。ガンダルフは何一つそぶりに見せず、石のように黙って立っていました。自分が必要とされる機会がまだこぬのを辛抱強く待っている人のようでした。ローハンの騎士たちは最初は色めきだって、口々にサルマンの言葉をもっともだと囁《ささや》き合っていましたが、そのうち、かれらも呪縛《じゅばく》にかかった人のように黙り込んでしまいました。かれらには、ガンダルフがいまだかつて自分たちの主君に対し、これほど丁重に、これほど適切な言辞でものをいったことがないように思えました。セオデンに対するかれの態度は今では何もかも粗暴で高慢ちきに思えました。そしてかれらの心には一つの影が忍び寄りました。それは大きな危険への恐れでした。その危険というのは、ガンダルフがかれらを追いやる暗黒の中で、マークが滅びることでした。ところがサルマンが脱出口のそばに立ち、その扉を半ば開いてくれているのです。そこから一条《ひとすじ》の光明が射してくるのでした。重苦しい沈黙が支配しました。

突然口をはさんだのは、ドワーフのギムリでした。「この魔法使の言葉はみんな逆立ちしてるぞ。」かれは怒った声でいうと、斧の柄《え》を握りしめました。「オルサンクの言葉じゃ、援助というのは破滅のことで、救うということは殺すということだ。明々白々だ。だけど、われわれは何も物乞いするためにここに来たんじゃない。」

「静かにせい！」と、サルマンはいいました。その声は束《つか》の間《ま》ながらさっきまでの柔和さを失いました。目には光が閃き、そして消えました。「グローインの息子ギムリよ、わしはまだそなたには話しておらぬ。」と、かれはいいました。「そなたの国は遠く、この地に起こる事件はほとんどそなたとはかかわりをもたぬ。だが、そなたがこれに巻き込まれたのも、そなた自身の意図したことではなかったな。だからして、わしはそなたの演じた役割――疑いもなく勇敢なものではあるが――それを咎《とが》めはせぬ。だが、願わくば、わが隣人にして、かつ、かつての友人であったローハン王とまず話をさせてくれ。

「セオデン王よ、殿は何と仰せられますか？　わしと和解をし、長い年月をかけてうち立てられたわが知識のもたらし得るすべての援助をお受けになられますか？　災害の日に備え、ともに知恵を出し合い、友情をもって相互いに損害を修復し、もってわれら双方の領土を以前にも勝《まさ》る美しき花と開かせようではありませんか？」

依然としてセオデンは答えません。かれが心に戦っているのが怒りであるのか、疑念であるのか、それはだれにもわかりませんでした。エオメルが口を開きました。

「殿よ、お聞きください！　今こそわれらはつとに警告されておりました危険を感じます。われらが勝利に向かって馬を進めて参ったのも、最後にこの二股舌に蜜をふくませた嘘つきの老人に感嘆して立ちつくすためでございましたか？　罠《わな》にはまった狼も、もしそれができれば、犬たちの群れにこのように話すでありましょう。まことにいかなる援助をかれは殿に申し出ることができるのでしょうか？　かれの欲していることは、今の窮地から脱け出すことしかありませぬ。だが殿は、裏切りと殺人を商うこの商人と談合をなさいますか？　浅瀬にて果てられたセオドレド殿のことを、そしてヘルム峡谷のハマの墓のことをお忘れなさいますな！」

「毒ある舌のことを話すのであれば、若い蛇め、お前の舌はどうなのだ？」と、サルマンはいいました。今やかれの怒りの閃きははっきりと見てとれました。「しかし、エオムンドの息子エオメルよ！」かれはふたたびものやわらかな声で続けました。「人それぞれに役割がある。武器を取って勇猛心を揮《ふる》うことがそなたの役だ。そしてそなたはそれによっておおいなる名誉をかちえる。そなたの主君が敵と名指す者を殺すだけで満足しておるがよい。そなたにはわからぬ政治に口を出すでない。だが、もしそなたが王になった時は、そなたも恐らく王たる者は友人を選ぶに細心でなければならぬことに気づかれるだろうがの。サルマンとの友好関係、そしてオルサンクの持つ力は軽々しく捨て去ることはできぬぞ。真実であれ、空想上であれ、たとえいかなる不満の種が過去にあろうともな。そなたは合戦に勝っただけのことだ。戦争とはちがう――それもそなたが二度と頼むことのできぬ援助があってのことだ。この次はそなた自身の戸口にかの森の影が見いだされるかもしれぬぞ。あれは気紛《きまぐ》れで、分別をもたず、人間には一かけらの愛情ももっておらぬ。

「だが、ローハンの殿よ、わしは、勇敢なる武士《もののふ》が合戦に果てたというだけで、人殺しの汚名を着ねばなりませぬのかな？　殿が出陣なされれば、それもいらざることに、と申すのは、わしは戦いを欲してはいませんでしたからな、その時は討ち死にする者が出ましょう。だが、そのことでわしが人殺しとなるならば、エオル王家の方々には全員人殺しの汚名が着せられましょうぞ。何故といえば当家の方々は数々の戦いを戦ってこられ、挑む者に向かって攻撃されました。しかしながら後になって和睦《わぼく》を結ばれたこともしばしばありました。それが政治的判断によるとしてもけっして悪いことではありません。のう、セオデン王よ、殿とわしと、ともに平和と友好関係をうち立てようではありませんか？　指揮をとるのはわれらの役目ですぞ。」

「われらは平和をうち立てよう。」ようやくセオデンが口を利《き》きましたが、その声はいかにもやっと声を出したというようなくぐもり声でした。ローハンの騎士たちのうち数人が喜んで叫び声をあげました。セオデンは片手を上げました。「そうじゃ、われらは平和をうち立てよう。」かれは今度ははっきりした声でいいました。「われらは平和をうち立てよう。そちとそちの働きの一切が滅びる時——そしてそちがわれらを引き渡すつもりであったそちの暗黒の主人の働きがすべて滅びる時にはな。サルマンよ、そちは嘘つきであり、人間の心を堕落させる者じゃ。そちは予に手を差し伸べた。しかし予が認めたものはモルドールの魔手の指に過ぎぬ。残忍にして冷酷なる指じゃ！　そちの予にしかけた戦いが正当であったとしよう——実際には然《しか》らずじゃが、何故ならたとえそちが十倍も賢明であったにせよ、そちには予および予の国をそち自身の利益のために思うがままに支配する権利はないからじゃ——たとえそちの戦いが正当であったにせよじゃ、そちは西の谷を埋めたあの軍勢の炬火《たいまつ》、そして、かしこに死んで横たわっているエオルの家の子のことを何と説明するつもりか？　そしてかれらは討ち死にしたハマの亡骸《なきがら》を角笛《つのぶえ》城の城門の前でめった切りにした。そちが仲間の鴉《からす》どもの慰《なぐさ》みにその窓を首吊り台にして首を吊れば、その時こそ予はそちとオルサンクとの間に平和をうち立てようぞ。エオル王家としてはこれでたくさんじゃ。予は偉大な父祖たちの不肖の息子に過ぎぬが、そちにへつらう必要はない。どこかほかを向くがいい。それにしてもそちの声には往年の魅力が失せたようじゃな。」

騎士たちはみな夢から覚めた人のように凝然とセオデンを見上げました。サルマンの妙《たえ》なる声音《こわね》のあとでは、かれらの主人の声は老いぼれた大鴉《がらす》の声のように耳障《ざわ》りに響いたのです。しかしサルマンは怒りのあまり、しばらくわれを忘れるほどでした。かれはその杖で王を打とうとするかのように、手すりから身を乗り出しました。人によっては突然蛇がとぐろを巻いて打ちかかろうとするのを見たように思った者もいました。

「首吊り台だと、鴉《からす》だと！」かれは罵り声をあげました。その恐ろしい変化に一同は身震いするほどでした。「もうろくした老いぼれめが！　エオルの家というが、草葺《ぶ》きの厩《うまや》に過ぎず、その悪臭の中で山賊どもは酒盛りをし、餓鬼どもは犬にまじって床をころげおる。きさまら自身随分長いこと首吊り台を逃れてきたではないか。だが絞め縄はやってくるぞ、引くには時間をかけてのろのろと、おしまいはきつくしっかりとな。首を吊りたきゃ首を吊れ！」ここでかれの声は変わり、次第に落ち着いてきました。「なんでこのわしがきさまごときに話をする忍耐心がもてたのか、わしにはわからぬ。何故ならわしはきさまにも、そこに連れて来たけちな馬乗りどもにも用はない。かれらは進むのも速いが逃げるのも速いわ。馬飼いのセオデン殿。ずっと以前、わしはきさまにきさまの実力と知恵には分《ぶん》の過ぎた地位を提供したことがある。今それをもう一度提供してやったのだ。きさまにまちがったほうに連れてゆかれる者たちが選ぶべき道をはっきりと見てとれるようにな。そのわしにきさまはほらを吹き悪口雑言《あっこうぞうごん》を浴びせよったな。では勝手にせい。とっととあの馬小屋に戻れ！

「だが、あんたは違う、ガンダルフ！　少なくともあんたの気恥かしさに同情して、わしは心を痛める。一体どうしてあんたはこんな連中と一緒にいて我慢していられるのかね？　何故なら、ガンダルフよ、あんたは自尊心の強い人間だ――それも理由がないではない。高潔なる心と遠く深く見る目の持ち主だからな。今でもあんたはわしの助言に耳を傾けるつもりはないのかね？」

ガンダルフはわずかに体を動かして顔を上に向けました。「あんたはこの前わしらが出会った時にいわなかった何をいおうというのか？」と、ガンダルフはたずねました。「それとも、ひょっとしたら取消すことがあるのか？」

サルマンは一瞬躊躇《ためら》いました。「取消す？」かれはどう取っていいかわからないように考えこみました。「取消す？　わしはあんた自身のためを思って、一生懸命あんたに忠告しようとした、それなのにあんたはろくすっぽ耳を傾けやしなかった。あんたは自尊心が強く、忠告を好まない。事実あんた自身豊かな知恵の持ち主だからな。だが、あの時はあんたがまちがっていたとわしは思う。わしの意図を勝手に曲げてとったんだ。わしはあまり熱心にあんたを説得しようとして忍耐を失ってしまった。そして今となってはまことに後悔しておる。なにせ、あんたになんらの悪意も抱いておらなかったからだ。今でもそうだとも、たとえあんたが狂暴にして無知な者どもとともにふたたびわしのところに舞い戻って来たにせよ、な。どうしてわしがあんたに悪意を抱くはずがあろうか。われら両人はともに、この中《なか》つ国《くに》では最もすぐれた、古い歴史のある高等なる結社の成員ではないか？　われらが友好関係をもてば、それはわれらをひとしく利することになろう。われらはこの世の混乱を癒《いや》さんがため、ともにまだ多くのことを成し遂げることができよう。われらは互いに相手を理解し合い、これら卑小なる輩《やから》のことはさっぱりと忘れようではないか！　かれらにはわれらの決定したことをやらせればよい！　公益のためにはわしは喜んで過去の過《あやま》ちを正し、あんたを迎え入れよう。わしと相談をしに来ないか？　上に上がってこないか？」

サルマンはここを先途《せんど》と最後の力を揮《ふる》いましたので、その声の聞こえる所に立っていた者で冷静でいられた者は一人もいませんでした。しかし今度の呪縛《じゅばく》の性質はまったく異なるものでした。かれらが聞いているのは、温情ある王が、誤りを犯した寵愛する大臣をおだやかにさとしている場面でした。しかしかれら自身はその場面から閉め出され、お行儀の悪い子供たちや間抜けな召使が自分たちには理解し難い長上たちの会話を洩れ聞いて、それが自分たちの運命にどのような結果をもたらすのかと心配しているように、戸口に立って自分たちに向けられたわけでない言葉に耳を傾けているのでした。この二人はもともとできの違うもっと高等な性《たち》の、尊むべき師で賢人なのだから、二人が盟約を結ぶことはやむを得ない。ガンダルフは塔に登って行くだろう。オルサンクの高い部屋で、われらの理解の及ばぬ深遠なる事どもを話し合うために。戸口は閉じられ、われらは外に残されて、ただ与えられた仕事なり罰なりを待つべく、慮外に置かれるだろう。

セオデンの心中にさえ、その思いは疑心暗鬼《ぎしんあんき》のように芽生えてきました。「かれはわれらを裏切るだろう。かれは行くだろう――われらは迷える者となろう。」と。

その時ガンダルフが声をあげて笑いました。幻想は煙のように消え去りました。「サルマン、サルマン！」ガンダルフはなおも笑いやめないでいいました。「サルマン、あんたは人生行路を踏みまちがえたな。あんたは宮廷道化師になりゃよかった。そして王の顧問官たちのまねをしてパンを稼ぎ、時には鞭をもらえばよかった。あっは、は！」かれは言葉を切って、ようやく笑いをおさえました。「互いに相手を理解し合うのかね？　あんたにはちょっとわしが理解できないじゃろう。が、サルマンよ、わしにはもうあんたのことはわかりすぎるぐらいわかっておる。あんたがいったこと、あんたが為《な》したこと、わしはそれらをあんたが想像しているよりずっとはっきり憶えておる。わしが最後にあんたを訪ねた時、あんたはモルドールの獄吏《ごくり》じゃった。そしてわしはかの地に送られることになっておった。いや、屋上から逃れた客は入口を通ってはいる前に再考するじゃろう。いやいや、わしは登ろうとは思わぬ。じゃが、聞け、サルマン、これが最後じゃ！　あんたは降りて来ないのか？　アイゼンガルドはあんたの望みと幻想が作り上げたほど強固ではなかった。あんたが今なお信頼を置いておる他のものにしてもそうかもしれぬ。しばらくここを離れてみてはどうか？　新しいものに向かってみてはどうか？　よく考えるがいい、サルマン！　降りて来ないか？」

サルマンの顔を一抹《いちまつ》の影が通り過ぎました。それからその顔は死んだように白くなりました。

かれがとりつくろう間もなく、一同はその仮面のような顔を通して、留まるにも気が進まず、この隠れ家を離れるのも恐ろしく、疑い迷う心の苦悩を見てとりました。一瞬かれは躊《ためら》いました。一行は一人残らず息をひそめました。それからかれは口を利《き》きました。その声は甲高《かんだか》く冷たく響きました。自尊心と憎悪がかれを打ち負かしたのです。

「わしが下に降りて行くかと？」かれは嘲っていいました。「武器を持たない者が建物の外で盗賊どもと話をしに降りて行くか？　お前のいうことはここでも十分聞こえるぞ。わしはばかじゃない。それに、ガンダルフよ、わしはお前を信用しておらん。大っぴらにわしの階段に立ってはおらずとも、あの乱暴な森の悪霊《あくりょう》どもがお前の指示でどこにひそんでおるのか、知っておるぞ。」

「裏切り者というのはいつも疑い深いものよ。」うんざりしたようにガンダルフが答えました。「じゃが、あんたは自分の命のことを心配するには及ばぬ。わしはあんたを殺したいとも、傷つけたいとも思っておらぬ。それはあんたの知る通りじゃ、わしのいうことを本当にわかってくればのことじゃが。それからわしにはあんたを保護してあげる力がある。あんたに最後の機会を与えてやろう。あんたはそうしたいなら、オルサンクを去ってもいいぞ――自由にな。」

「うまい話に聞こえるな。」サルマンは嘲笑いました。「灰色のガンダルフのやり方らしいわ。いやに恩着せがましく、いやに親切ぶってな。さぞかしお前はオルサンクを手頃のものだと思い、わしがよそに行くのを好都合と思うだろう。だがわしがここを去りたいと思うわけがどこにある？　それに『自由に』というのはどういうことだ？　条件があるのだろうが？」

「立ち去る理由は、あんたの窓から見えるじゃろう。」ガンダルフが答えました。「ほかにもあんたの思いに浮かぶ理由があろう。あんたの召使どもは滅ぼされ追い散らされた。隣人たちはすべてあんたが自分で敵に回した。そしてあんたは新しい主人をも欺いた。もしくは欺こうとした。かれの目がこちらを向く時には、それは憤怒に燃えた赤い目となろうぞ。じゃが、わしがいう『自由に』とは、まさに『自由に』ということじゃ。束縛から、鎖から解き放たれることであり、命令、指図からおかまいなしになることじゃ。どこへなりと好きなところへ行くことじゃ。望みとあらば、サルマンよ、モルドールへなりと行ってよい。じゃが、その前にまずオルサンクの鍵を、さらにあんたの杖を、わしに渡すのじゃ。それをあんたの行為の担保としよう。これから後、もしあんたの行為がそれに値すれば、あとで返すとして。」

サルマンの顔は激怒のあまり青黒く歪み、目には赤い怒りの焔《ほのお》が燃えました。かれはけたたましい笑い声をあげました。「あとでだと！」かれは叫びましたが、その声は上《うわ》ずった金切り声でした。「あとでだと！　そうか、きさまがバラド＝ドゥアそのものの鍵をも手に入れた後でだな。それから七人の王の冠と、五人の魔法使の杖を手に入れ、きさまの今はいている靴の何倍も大きい深靴を買った後でというんだろう。つつましい計画だな。わしの援助を必要ともせんだろう！わしにはほかにすることがある。たわけたことをいうな。わしと交渉しようと思うのなら、まだ機会があるうちにとっとと立ち去って、しらふになったら戻ってこい！　が、その時はきさまの尻尾についてまわるその首斬りどもやちびのあぶれ者どもを置いて来るんだぞ！　さらばだ！」

かれは背を向けてバルコニーを立ち去りました。

「戻って来い、サルマン！」力のこもった声でガンダルフがいいました。一同が驚いたことに、サルマンはまたこちらを向いて、まるで意に反してずるずると引きずられるように、のろのろと鉄柵まで戻り、荒い息をしながら、それにもたれかかりました。その顔は皺《しわ》がよってしなびていました。片方の手は重い黒い杖を鉤爪《かぎづめ》のようにしっかと握りしめていました。

「わしはまだ行ってよしとはいわなかったぞ。」ガンダルフが厳しい声でいいました。「わしの話はまだすんでおらぬ。サルマン、とんだうつけ者になったな。が哀れじゃ。今ならまだ愚かさと悪に背を向けて、世の役に立つこともできたかもしれぬのに、ここに留まって、おのが古い陰謀の結果をかみしめることを選ぶとは。では留まるがいい！　じゃが警告しておくぞ、あんたはここから外には二度とやすやすとは出られんじゃろう。東のかの暗い手が伸びてお前を連れて行かぬ限りはな。サルマン！」かれは声を張り上げました。その声は次第に力と権威を帯びてきました。「見よ、わしはお前が裏切った灰色のガンダルフではない。わしは黄泉《よみじ》より戻った白のガンダルフじゃ。お前は今では色を持たぬ。わしはお前をわが賢人団から追放し、白の会議から追放する。」

かれは片手を上げると、はっきりした冷たい声でゆっくりといいました。「サルマン、お前の杖は折れたぞ。」メキメキと音がして、杖はサルマンの手の中で割れ、握りがガンダルフの足許に転げ落ちてきました。「行け！」ガンダルフがいいました。サルマンは一声叫び声をあげると、後ろに退き、這うように逃げて行きました。その時、ずしりと重い光る物が上から投げ落とされました。それはサルマンがちょうど鉄柵から身を離した時、柵を掠《かす》めて、ガンダルフの頭をすれすれに過《よぎ》り、かれが立っている石段にぶつかりました。鉄柵は音をたてて折れました。それの落ちた石段はひび割れて、かけらがきらきらと火花を散らしました。しかしその珠は傷一つ受けず、石段を転げ落ちました。水晶のように透明な暗い珠で、中心は火と燃えていました。それは弾《はず》みながら水たまりの方へ転がっていきましたので、ピピンが走って後を追い、それを拾い上げました。

「人殺しのならず者め！」と、エオメルが叫びました。しかしガンダルフは動じません。「いや、あれはサルマンが投げたのではない。」と、かれはいいました。「かれがいいつけたのでもなかろう。あれはずっと上の方の窓から落ちてきた。蛇の舌殿がお別れに投げたんじゃろう。じゃが狙いそこなったな。」

「狙いがまずかったのかもしれない。あいつはあなたとサルマンのどちらをより憎んでるのか自分でも心を決めかねていたんですよ。」と、アラゴルンがいいました。

「そういうことかもしれん。」と、ガンダルフがいいました。「あの二人が一緒におっても、お互いにほとんど慰みにはならんじゃろう。互いに言葉でやり合って苦しめ合うのが落ちじゃ。じゃがこの罰も当然。蛇の舌がオルサンクから生きて出られるようなことがあれば、身に過ぎた果報

じゃて。

「おい、それはわしがもらっとく！　お前さんにそれを取ってくれなんて頼まなかったぞ。」かれは急に向き直ると、何かとても重い物を持った人のように、ピピンがゆっくり石段を登って来るのを見て叫びました。かれは自分のほうからも迎えに降りて行き、その暗い珠を大急ぎでホビットから取り上げて、自分のマントの襞《ひだ》の中に包み込みました。「これはわしが大事に預かっておく。」と、かれはいいました。「サルマンならこれを選んで投げたりはしなかったじゃろうよ。」

「かれには他に投げる物があるかもしれませんよ。」と、ギムリがいいました。「あれで論争がもうおしまいなら、ともかく石を投げても届かないところまで行くとしましょうよ！」

「おしまいじゃ。」と、ガンダルフがいいました。「行こう。」

かれはオルサンクの戸口に背を向けて降りて行きました。騎士たちは歓呼して王を迎え、ガンダルフに敬礼しました。サルマンの呪縛《じゅばく》は解けました。かれらはサルマンが呼ばれて戻るところを見、去れといわれて這うように行ってしまうのを見ました。

「やれやれ、これはすんだと。」ガンダルフがいいました。「では、木の鬚《ひげ》を見つけて、事がどう運んだかを話さねばならぬ。」

「あの人はきっと予想してたんでしょうね？」と、メリーがいいました。「違ったふうに終わることもありそうだったんですか？」

「ありそうもなかった。」と、ガンダルフが答えました。「といっても際《きわ》どいところではあったがな。じゃがわしには試みてみるだけの理由があった。その理由というのは慈悲心から出たものもあるし、そうでないものもある。まず第一にサルマンは自分の声の力が衰えてきたことを見せられた。かれは同時に圧制者であり助言者であることはできない。陰謀が熟せば、それはもはや秘密のままにはしておけない。ところがかれはこの落とし穴にひっかかったんじゃ。そして自分のいけにえの一人一人と個別に取引きをしようとした。それもあとの者が聞いている前でな。次にわしはかれに最後の選択をさせたが、これは公正な選択じゃった。つまりモルドールとかれ自身のひそかな企みの両方を放棄し、この難局にあるわしらを助けることによって償いをすることじゃ。かれはわしらが困っていることを承知しておる。かれよりよく知っとる者はいないくらいにな。じゃから大いに貢献することもできたんじゃ。しかしかれはそれを差し控え、オルサンクの力を保持することを選んだ。かれは奉仕をせず命令だけする。今やかれはモルドールの影を恐れて戦々兢々《せんせんきようきよう》としておる。にもかかわらず、いまだにこの嵐を乗り切ることを夢みているのじゃ。みじめなうつけ者よ！　もし東の力がその腕をアイゼンガルドに伸ばす時があれば、その時はかれの身の破滅となろう。外側からオルサンクを滅ぼすことはわしらにはできぬが、サウロンなら――かれなら何ができるかだれにわかろう？」

「それで、もしサウロンが勝ちを制しなければどうなりますか？　かれをどうなさるんですか？」と、ピピンがたずねました。

「わしか？　何もせん！」と、ガンダルフがいいました。「わしはかれをどうもせんよ。わしは征服することを望んではおらん。かれはどうなるか？　それはわしにもわからん。わしはただかつては善であったあれだけのものが今やこの塔の中で朽ちていくのを悲しむだけじゃ。とはいえわしらにとっては事態は悪化してはおらぬ。運命の仕打ちというものはおかしなものよ！　憎しみはしばしば己れを損なうからのう！　たとえわしらが塔の中に入っても、蛇の舌がわしらめがけて投げつけたあの品物より貴重な宝物はオルサンクの中にはあまり見つからなかったんじゃなかろうか。」

その時ずっと上の開いた窓から甲高《かんだか》い悲鳴が起こり、ぷつりと消えました。

「サルマンもそう考えたと見えるな。」と、ガンダルフはいいました。「かれらを置いて行くとしよう！」

さて一行は城門の廃墟《はいきょ》の所まで戻りました。一同がアーチロから外に出るか出ないかのうちに、瓦礫《がれき》の山の陰から、今までそこに立っていた木の鬚《ひげ》と十人余りのエントたちが大股に近づいて来ました。アラゴルンとギムリとレゴラスは驚嘆してかれらをみつめました。

「木の鬚よ、ここにおるのはわしの三人の仲間じゃ。」と、ガンダルフがいいました。「わしは前にこの友人たちのことをあんたに話したことがある。じゃが、あんたはまだかれらに会ったことはないな。」かれは三人の名前を一人ずついいました。

老エントは鋭い目で長い間順々にかれらを眺めたあとで、一人一人に話しかけました。最後にかれはレゴラスの方を向いていいました。「それじゃあんたは闇の森からはるばるやって来たのかね、エルフ君や？　昔は大層大きな森だったがのう！」

「今でもそうです。」と、レゴラスがいいました。「かといって、そこに住んでるわたしたちが新しい木を見るのに飽きるほど大きくはありませんがね。わたしはファンゴルンの森を旅してみたくてたまりません。森の入口から先には行きませんでしたからね。あの時は引返したくなくて。」

木の鬚の目はうれしそうに輝きました。「山々があまり年古《ふ》らないうちに、あんたの願いがかなえられますように。」と、かれはいいました。

「運に恵まれれば、伺えましょう。」と、レゴラスがいいました。「わたしは友達と取りきめをしたんです。もしすべてがうまく運べば、一緒にファンゴルンを訪ねようと――あなたのお許しがあればのことですが。」

「あんたと一緒にみえるエルフなら、どなたでも歓迎しますわい。」と、木の鬚がいいました。

「わたしがいってる友達というのはエルフじゃないのです。」と、レゴラスがいいました。「ここにいるグローインの息子ギムリのことです。」ギムリは深々と頭を下げました。ベルトから斧が滑り落ち、音を立てて地面に落ちました。

「ふーむ、ふむ！　そうさね、」木の鬚は胡散《うさん》げな目でかれを見ました。「ドワーフで斧持ちか！　ふーむ！　わしはエルフにはいい感じを持ってるが。あんたの頼みはちと酷じゃな。それにしても奇妙な友情じゃわい！」

「奇妙に見えるかもしれませんが、」と、レゴラスがいいました。「ギムリが生きている限り、わたしは一人ではファンゴルンに伺いませんよ。おお、ファンゴルンよ、ファンゴルンの森の主よ。かれの斧は木を伐るためでなく、オークの首をちょん切るためなのですよ。合戦では四十二も切ったんですからねえ。」

「ふふっ！　ようし！」と、木の鬚《ひげ》がいいました。「それならよい話じゃ！　ま、とにかく、物事は進むように進むものよ。何もあわててどうするか決めるには及ばぬわい。が今はしばらくお別れじゃ。そろそろ夕暮れも近づいてきた。だがガンダルフの話じゃ、あんた方は日が暮れるまでに出かけねばならんそうじゃ。それにローハンの殿はお城に戻られることを切望しておいでじゃ。」

「さよう、わしらは出かけねばならぬ。それも今すぐ。」と、ガンダルフがいいました。「それであんたの門番を連れて行かねばならんのじゃが。あんたはあの二人がいなくともうまくやっていくじゃろう。」

「多分な。」と、木の鬚がいいました。「とはいえ、二人がいないとさびしいじゃろうて。わしらはごく短い間に友達になったもんじゃから、わしはわれながらたしかにせっかちになってきたものと思っとるんじゃ――ことによるとだんだん若い時に戻っとるのかもしれんな。しかし、この二人は長い長い年月の間で、わしがこの天《あめ》が下《した》で初めて見た新しいものなんじゃ。わしはこの二人のことを忘れんじゃろう。わしは長い名簿にかれらの名前を入れといたよ。エント族はこれを忘れまい。

エントは大地の子、山々と同じ生まれで、
幅広く歩き、水をのんで暮らす。
遠出して腹すかすは、ホビットよ、
笑うが好きな、小さな人たち。

年毎に新たになる木々の緑が続く限り、かれらはいつまでも友人じゃ。では元気にやっとくれ！　ただ、もしお前さんたちの気持ちのいい国、ホビット庄で耳にしたことがあったら、わしに言づけておくれ！　何のことかわかっとるな。エント女のことを聞くなり見るなりしたらじゃよ。来れるようなら、お前さんたち自分でやって来ておくれ！」

「来ますとも！」メリーとピピンは異口同音にそういうと、急いで顔をそむけました。木の鬚はそういう二人に目を向けたまま、しばらくはものもいわず、考え込むように頭を振っていました。それからかれはガンダルフの方を向きました。

「では、サルマンは立ち去ろうとはせんのじゃな？」と、かれはいいました。「わしはかれが立ち去るとは思わなんだがね。あいつの心は真っ黒いフオルンの心みたいに腐っとるんじゃ。とはいえ、わしだとて、もし打ち負かされ、わしの木たちがすっかりやられてしまっても、この身を隠す暗い穴が一つ残っておれば、出て行きゃせんだろうがね。」

「そりゃ出て行かないな。」と、ガンダルフがいいました。「だが、あんたはなにも世界中をあんたの木で蔽いつくし、他の生きものの息の根をすっかり止めてやろうなどとは企まなかった。ところがサルマンはどうかな、依然として憎しみを心に懐き、張れる限りの罠《わな》をふたたび張りめぐらしておる。かれはオルサンクの鍵を持っとるのじゃ。だがあいつには逃亡を許してはならぬぞ。」

「むろんだとも！　それはエントたちが気をつけておくよ。」と、木の鬚《ひげ》はいいました。「わしの許しなしには、サルマンに塔の中から一歩も外には出させはせん。エントが見張っとるからな。」

「そりゃけっこうだ！」と、ガンダルフがいいました。「わしが望んでたのもそれじゃ。これで、わしも一つ肩の荷を下ろして、他のことに向かって行くことができるわい。だがあんたたちには注意を怠らんようにしてもらわなくてはな。水は退《ひ》いておる。塔の周りに見張りを立てるだけでは不十分ではないかな。わしはオルサンクの下には確かに底深く道が穿《うが》たれておって、サルマンはそのうちそこから気づかれないように出入りしようと考えているに違いないと思うんじゃ。もしあんたに労をとってもらえるなら、すまんがもう一度水を流し込んでもらえまいか。アイゼンガルドがたまり水の池になるまで、そうやっといてくれ。出口が見つかれば別じゃが。地下室がすっかり水浸《びた》しになり、出口が塞がってしまえば、その時はサルマンも上に留まって、窓から外を眺めるほかはないからな。」

「それはエントにまかせてくれ！」と、木の鬚はいいました。「わしらはこの谷の麓《ふもと》からてっぺんまですっかり調べ上げ、小石の下まで覗《のぞ》いてみることにするから大丈夫。木たちが戻って来てここに住むことになっておる。古い木、野生の木たちがな。わしらはそれを見張りの森と呼ぶつもりじゃ。たとえりす一匹といえど、わしが知らんうちにここには来れんぞ。エントにまかせてくれ！　あいつがわしらを苦しめた年月の七倍の時が流れようと、わしらはあいつを見張ることに倦《う》みやせん。」

十一　パランティアの石

ガンダルフとその仲間、王とその騎士たちがアイゼンガルドからふたたび出発した時には、日が山脈の西側の長い支脈の背後に沈もうとしていました。ガンダルフはメリーを後ろに乗せ、アラゴルンはピピンを乗せました。王の従者のうち二人が先行して、馬を早駆けさせ、やがてすぐに谷間に降りて行ってその姿は見えなくなりました。残る一行はそのあとについてゆっくり馬を進めました。

エントたちは門のところに一列に並び、その長い腕をあげて、物音一つ立てず、粛然《しゆくぜん》と立っていました。メリーとピピンは折れ曲がる道をしばらく進んだ時、あとを振り返ってみました。空にはまだ日が輝いていましたが、長い影はすでにアイゼンガルドを蔽い、灰色の廃墟《はいきよ》は暗闇に沈もうとしていました。もう今は木の鬚《ひげ》だけが、まるで遠くに見える古い木の切り株のように、ぽつんと一人立っていました。ホビットたちは、遠いファンゴルンの森の外れの日の当たる岩棚の上で初めてかれに出会った時のことを思いました。

一行は白の手の柱のある所に来ました。柱はまだ立ってはいましたが、彫った手は下に落ち、小さく砕け散っていました。道の真ん真ん中にその長い人指し指が夕闇の中に白く転がっていましたが、その赤い爪は黒ずんでいました。

「エントたちは細かなところまで行き届くじゃないか！」と、ガンダルフがいいました。

一行が馬を進めるにつれ、谷間には夕闇が深まっていきました。

「今夜は遠くまで行くのですか、ガンダルフ？」しばらくしてメリーがたずねました。「ちびのあぶれ者を腰巾着《こしぎんちゃく》にしているあなたのお気持ちはわかりませんけど、このあぶれ者のほうはくたくたで、喜んで腰巾着をやめ、横になりたいんですけど。」

「それじゃ、あの言葉を聞いておったな？」と、ガンダルフがいいました。「あんなことでくさるな！　もっと長々といわれなくてよかったと思うことじゃ。かれはお前さんたちをじっと見ておった。いささかでも心の慰めとなるならいってあげるが、今頃はかれは心の中であんたとピピンのことをとつおいつ考えとるんじゃないかな。他のだれのことよりもな。お前さんたちはだれなのか、どうやってここに来たのか、何のために来たのか、何を知っているのか、果たしてあんたたちは生け捕りにされたのか、そうとしたら、オークが全滅した時にどうやって逃げ出したのか——こういった小さな謎で今やサルマンはその卓越した頭脳を悩ませとるじゃろう。メリアドクよ、かれから受ける嘲りは敬意の表示じゃよ。もしあんたがかれの関心を光栄と感ずるならばじゃな。」

「どうもありがとう！」と、メリーがいいました。「でもあなたの腰巾着になってるほうがずっと光栄ですよ、ガンダルフ。一つにはこうしていると、同じ質問をもう一度する機会がありますからね。今夜は遠くまで行くんですか？」

ガンダルフは声をあげて笑いました。「なんと鎮めがたいホビットよ！　魔法使たる者はことごとくホビットを一人か二人世話するべきじゃね——魔法使に言葉の意味を教え、思い違いを正すためじゃ。いや失礼した。じゃがわしはこうした小さなことも気にとめておるんじゃよ。わしらはあと二、三時間馬を進める、ゆるゆるとな。この谷の外れに出るまでじゃ。明日はもっと速く進まねばならんが。

「ここに来た時には、アイゼンガルドから平原を越えてエドラスの王宮まで真っ直に戻るつもりじゃった。それだと何日間か馬に乗ることになるが。じゃがわしらは考え直して計画を変えた。王が明日帰還されることを知らせるために使者たちがヘルム峡谷に先行した。王はそこから多くの従者をひきつれ、山中の道を通って馬鍬谷《まぐわだに》に向かわれるのじゃ。これから先は、二、三人以上連れ立って大っぴらに行くことは、昼であろうと夜であろうと、避けられるものなら避けなきゃならん。」

「あなたのやり方ときたらご喜捨《きしゃ》なしか、倍増し払いなんですからねえ！」と、メリーがいいました。「ぼくは今夜の寝床のことしか考えていなかったんですがねえ。ヘルム峡谷だのなんだのって、一体それはどこにあって、何なんですか？　ぼくはこの地方のことは何も知らないんです。」

「じゃったら少しは教えてもらったはうがよかろう、何が起ころうとしておるのか理解したければな。が今じゃない。またわしの口からでもない。わしは差し迫って考えなきゃならんことが多すぎるのでな。」

「いいですよ。ぼくは野営の焚火《たきび》のそばで馳夫《はせお》さんをつかまえますからね。あの人はあなたほどかんしゃく持ちじゃないですから。それにしてもこんなにこっそり事を運ぶなんて、何故なんです。戦いに勝ったと思ってたのに！」

「さよう、わしらは勝った。がこれは最初の勝利にすぎん。そして勝ったがために、危険も増大するんじゃ。アイゼンガルドとモルドールの間には何かの連繋《れんけい》がある。そこがまだわしには摑めておらんのじゃが。どうやっておるのか、わしにはしかとはわからんが、情報を交換し合っとることは事実じゃ。バラド＝ドゥアの目はいらいらしながら魔法使の谷の方を向いてるじゃろうと思う。そしてローハンの方もな。その目が見るものが少なければ少ないはどいいのじゃが。」

道はうねうねと曲がりながら谷間を下り、ゆっくりと過ぎていきました。遠くになり近くになりしてアイゼン川が石の多い川床を流れていました。山から夜がおりてきました。靄《もや》はすっかり消え去っていました。冷たい風が吹きました。丸く満ちてきた月が東の空を青白い冷たい輝きで充しています。一行の右手には山の肩がスロープを描いて下り、はだかの丘陵になっていました。

眼前に広い平原がほの暗く開けました。

とうとう一行は立ち止まりました。それから道をそれて公道を離れ、ふたたび匂いのいい山の芝草の上を進みました。西の方に向かって一マイルかそこいら行くと谷に出ました。その谷は南に開け、背後はまろやかなドル・バランの斜面に終わっていました。ドル・バランは北側の山並の最後の丘で、麓《ふもと》は緑、頂はヒースでおおわれていました。谷間の斜面は去年の羊歯《しだ》がぼさぼさと生い茂り、その間に固く巻いた春の若芽がかぐわしい匂いの土の中からにょきにょきと顔を出していました。低い土手には茨が隙間なく生い茂っていました。一同はその土手の下で野営をすることにしました。真夜中にはまだ二時間ほどありました。かれらは窪地のさんざしの木の根元に火を起こしました。枝を広げたさんざしは灌木というより木のように丈が高く、年経てねじ曲がっていましたが、どの枝にも瑞々《みずみず》しい力が溢れていました。小枝の先にはどれもつぼみがふくらみかけていました。夜番のために二人ずつ見張りが置かれました。あとの者は夕食を食べたあと、マントと毛布にくるまって眠りました。ホビットたちは自分たちだけ片隅の去年の羊歯が重なり合った上に横になりました。メリーは眠くてたまらなかったのですが、ピピンはどういうわけか妙に落ち着かなげでした。かれが身をよじって寝返りを打つたびに、羊歯がポキポキガサガサと音を立てました。

「どうしたんだい？」と、メリーがたずねました。「蟻塚の上にでも寝たっていうの？」

「違うよ。」と、ピピンがいいました。「だけど寝心地がよくないんだ。もうどのくらいベッドで眠らないだろう？」

メリーはあくびをしました。「指を折って数えてみろよ！」と、かれはいいました。「ロリアンを出てからどのくらい経つかということだもの。」

「そうじゃないさ！」と、ピピンはいいました。「ぼくのいうのは寝室にある本当のベッドのことなんだよ。」

「ええと、それなら裂け谷《さけだに》だ。」と、メリーがいいました。「だけどぼくだったら今夜はどこだろうと眠れるよ。」

「君は運がよかったね、メリー。」ちょっと黙ったあとで、ピピンが小声でいいました。「ガンダルフと一緒だったんだもの。」

「おやおや、それがどうしたっていうんだい？」

「何か聞けた？　教えてもらったことがある？」

「うん、かなりね。いつもよりは多かったよ。だけど、君だってすっかり、でなくてもあらかたは聞いてたじゃないか。すぐそばにいたし、それにぼくたちは内緒でしゃべってたんじゃないもの。だけど明日は君があの人と一緒に行くといいよ。君のほうがもっといろいろあの人から聞き出せると思うならね——そしてあの人が君を乗せてくれたらね。」

「そうしてもいいかい？　よし！　だけど、かれは口が固いだろ、ね？　ちっとも変わってないね。」

「うん、口は固いさ！」メリーは少し目が覚めてきて、この友の気持ちにひっかかっているものが何なのかといぶかしく思い始めました。「あの人は大きくなったというのか、それともなんといったらいいんだろう。前にも増して親切でそのくせ一層どきりとさせるし、はるかに陽気になったのに、はるかに重々しくもなったね。あの人は変わったよ。だけどどのくらい変わったのかぼくたちはまだ見る機会がないんだ。でも、サルマンとの一件のおしまいのところを考えてごらんよ！　サルマンはかつてはガンダルフの長上だったことを忘れないでくれ。厳密にはなんであれ、会議の長だったろ。かれは白のサルマンだった。今はガンダルフが白だよ。サルマンは命じられると出て来た。そして杖は取り上げられた。それから行くように命じられただけで、行ってしまったろ！」

「ガンダルフが変わったとしたら、前よりもっと口が固くなったことぐらいだよ。それだけさ。」ピピンが反論しました。「さっきの——ほらガラスの玉。あの人はあれがとても気に入ったみたいじゃないか。あの事で何か知ってるか、それとも思い当たることがあるんだよ。それでもぼくたちに何かいってくれたかい？　いいや、一言もいってくれないさ。だけどあれはぼくが拾ったんだし、池に転がり落ちるところをぼくが助けたんだ。なのに『おい、それはわしが預かっておく。』——それだけさ。あれは何だろう？　ばかに重かったけど。」ピピンの声はまるで独り言をいっているようにとても低くなりました。

「ちょっと、きみ！」と、メリーがいいました。「そのことなんだね、きみの気持ちにひっかかってたのは？　ねえ、ピピン、ギルドールの言葉を忘れないでくれ――サムがいつもいってたことさ。『魔法使には、おせっかいをやくな、変幻自在で、よくおこる』って。」

「だけど、ぼくたちの生活はここ何カ月というものべったりと、魔法使のことにおせっかいをやいてきたんじゃないか。」と、ピピンがいいました。「危険にあずかるなら、少しは何かを教えてもらいたいのさ。ぼくはあの玉が見てみたい。」

「眠れよ！」と、メリーがいいました。「そのうちにたっぷり教えてもらえるさ、遅かれ早かれ。ねえ、ピピン、好奇心にかけては、ブランディバックたる者、いまだかつてトゥック一族にひけをとったことはないんだけど、今はその時だろうか、どうだい？」

「わかったよ！　ぼくが自分のしたいことを、あの石を見たいってことを君に話したからって、何が悪い？　あの石が手に取れないことはわかってるもの。ガンダルフじいさんが、まるで卵を抱いためんどりみたいに、抱えこんでるんだから。だけど、君の口からお前には取れないんだから眠れっていうことしか聞けないんじゃ、たいして役には立たないな！」

「そんなこといっても、はかに何がいえる？」と、メリーがいいました。「気の毒だけど、ピピン、君はほんとに朝まで待たなくちゃだめだよ。朝ご飯のあとだったら、ぼくもきみの好きなだけ知りたがりになるよ。そして魔法使をうまく丸めこめることがあれば何でも手伝うよ。でも、今はもうこれ以上目を覚ましてはいられない。これ以上あくびをしたら、耳まで口が裂けちゃうよ。おやすみ！」

ピピンはもう何もいいませんでした。今は静かに横になっていましたが、眠りはいっこうに訪れません。お休みなさいをいって二、三分も経たないうちに眠ってしまったメリーの静かな寝息も眠気を誘ってはくれません。あたりがすっかり静まるにつれ、あの暗い珠への思いはますます強まるばかりのように思われました。ピピンはそれを両手に持った時の重さをふたたびまざまざと感じ、ほんのしばらく覗《のぞ》きこんだあの珠の深い神秘な赤い奥底をもう一度目に見るのでした。かれは寝返りをうって、何かほかのことを考えようとしました。

とうとうかれはもうこれ以上我慢できなくなりました。立ち上がって、あたりを見回しました。夜気が冷え冷えとしています。かれはマントにすっぽりとくるまりました。白く冷たく皓々《こうこう》と輝く月が谷間の中にまで射し込み、灌木の茂みが黒々とした影を落としていました。まわりはどこも眠っている人の姿ばかりでした。二人の夜番の姿は見当たりません。恐らく丘の上に登っているのでしょう。でなければ羊歯《しだ》の茂みに隠れて見えないのです。自分でも理解できない衝動に駆られ、ピピンはそっとガンダルフの寝ている所に歩いて行きました。かれはガンダルフを見下ろしました。魔法使は眠っているように見えました。しかし両の瞼は完全に閉じてはいません。長い睫毛《まつげ》の下の目がきらりと光りました。ピピンはあわてて後ろにさがりました。しかしガンダルフは身動き一つしません。そしてホビットは半ば自分の意志に反してもう一度吸い寄せられるように、今度は魔法使の頭の後ろからふたたび忍び寄りました。かれは毛布にくるまり、その上に自分のマントを広げていました。そしてかれのすぐそば、曲げた腕と右脇の間に、黒っぽい布に包んだ何かこっぽりと丸い物がありました。かれの手はちょうどそこから地面に滑り落ちたばかりのようでした。

息も殺さんばかりにして、ピピンは抜き足差し足そばに忍び寄りました。やっとかれは跪《ひざまず》きました。それからそっと両手を伸ばし、ずんぐりと丸い物をゆっくりと持ち上げました。それはかれが予期していたほど重くは思えませんでした。「もしかしたらただのがらくたの寄せ集めかもしれない。」かれは奇妙な安堵感を感じながらそう思いました。しかしそれを元に戻しはしませんでした。かれはそれを抱きしめたまましばらく突っ立っていました。その時ある考えがかれの心に浮かびました。かれは忍び足で立ち去ると、大きな石を見つけ、ふたたび戻って来ました。

ここでかれはす早く布を抜き取り、それに石を包むと跪き、それを魔法使の手のそばに戻しておきました。それからやっと、自分が布を取りのけたものに目を当てました。すべすべした水晶の珠が、今は黒っぽく光を失って、かれの膝《ひざ》の前にむきだしで転がっているのです。ピピンはそれを持ち上げ、大急ぎで自分のマントにくるみこむと、元の寝場所に戻りかけました。ちょうどその時ガンダルフが眠ったまま身動きをし、何か言葉を呟きました。それは聞きなれない言語のようでした。かれの手は探るように伸ばされ、くるんだ石をしっかと抱えました。それからかれは吐息をついて、もう身動きしませんでした。

「この大ばか者！」ピピンは独りごちました。「お前は恐ろしく困ったはめにおちいるぞ。早く返しておけ！」しかし今更ながら膝が震え、あの石の包みに手が伸ばせるほど近く魔法使のところに近寄ることができません。「もう今となってはあの人の目を覚まさずに、これを元に戻すことはとてもできない。」と、かれは考えました。「ともかくもう少し落ち着くまでは。だったらその前に一目見てもいいわけだ。だけどここじゃだめだ！」かれはそっとそこを立ち去ると、自分の寝場所から遠くない緑の小山に腰を下ろしました。小さな谷のふちから月がのぞいていました。

ピピンは両膝を立てたまま腰を下ろし、その膝の間に珠を抱えこみました。かれはその上に低く屈《かが》みこみましたが、そのさまはみんなから離れた隅っこで食べもののはいった鉢を抱えこみがつがつ貪り食う子供のようでした。かれはマントをわきに引き寄せ、珠にじっと目を凝らしました。かれを取り巻く空気は静まりかえったままぴんと張りつめているように思えました。初めのうち珠はただ真っ暗で、黒玉のように黒く、その表には月の光だけがきらめいていました。それから中心部にかすかな赤らみと波立ちが現われ、かれの目はそれにひきつけられて、今ではもう目を離すことができませんでした。間もなくその中はすっかり火と燃えているように見えました。珠はぐるぐる回っています。それとも中の光が回っているのかもしれません。突然光は消え失せました。かれは息を喘《あえ》がせてもがきました。それでも相変わらず屈みこんだまま両手にしっかと珠を抱えこんでいました。そしていっそう近々と屈みこむうちに、にわかに体を固くしました。しばらくの間唇が声にも音にもならずに動きました。それから絞め殺されるような叫び声をあげると、後ろに倒れてそのままになりました。

叫び声はつんざくばかりでした。見張りたちは土手から跳び降りて来ました。やがてだれもかれも起き出して野営地中が大騒ぎとなりました。

「そうか、こいつが泥棒か！」と、ガンダルフがいいました。大急ぎでかれは地面に置かれたままの珠に自分のマントを投げかけました。「だがピピンよ、お前というやつは！　おかげで事態は恐るべき局面を迎えるぞ！」かれはピピンの体のそばに跪《ひざまず》きました。ホビットは仰向いて倒れていますが、その体は硬直し、目はかっと剝《む》いたまま、見えもせず空をじっと見上げていました。「たちの悪いわるさじゃ！　何かとんでもないことをしてくれたんじゃなかろうか——かれ自身にとっても、わしら全部にとっても？」魔法使の顔はひきつってやつれて見えました。

かれはピピンの片手を取り、顔の上に屈みこんで息をしているかどうか耳を傾け、それから自分の両手をかれの額の上に置きました。ホビットはぶるっと身震いし、目がふさがりました。かれは絶叫して上半身を起こし、月光に青白く浮かぶ周りのみんなの顔を当惑気にみつめました。

「サルマン、そいつはお前のではないぞ！」かれは抑揚のない甲高《かんだか》い声で叫ぶと、ガンダルフのそばから尻《しり》ごみして離れようとしました。「すぐにそいつを取りにやらせるぞ。わかったか？それだけいっておけ！」

それからかれは身をもがいて立ち上がり逃げようとしましたが、ガンダルフの手に優しくしっかりと摑まれてしまいました。

「ペレグリン・トゥック！」と、かれはいいました。「戻るんじゃ！」

ホビットはふっと緊張を緩め、後ずさりして魔法使の手にしがみつきました。「ガンダルフ！」かれは叫びました。「ガンダルフ！　許してください！」

「許してくれじゃと？」と、魔法使はいいました。「まずお前のしたことを話せ！」

「ぼくは、ぼくは、あの珠を取って、それから覗《のぞ》いたんです。」どもりながらピピンがいいました。「それからとてもこわいものをいろいろ見ました。それで離れたいと思いました。でも離れられないんです。するとその時あいつが来てぼくを尋問しました。そしてあいつはぼくを見たんです。そして、そして、憶えてるのはこれで全部です。」

「それじゃわからん。」ガンダルフが厳しい口調でいいました。「お前は何を見たんじゃ？　そして何をいったんじゃ？」

ピピンは目をつぶっておののきましたが、何もいいません。みんなはじっと黙ってかれをみつめました。ただメリーだけが顔をそむけました。しかしガンダルフは依然として厳しい顔をしていました。「話せ！」と、かれはいいました。

低い躊《ため》らいがちな声でピピンはふたたび話し始めましたが、やがて次第にその言葉ははっきりと、力も加わってきました。「ぼくは暗い空と高い胸壁を見ました。それから小さい小さい星々を。なんだかとても遠くでずっと昔のことのようでいて、そのくせくっきりと鮮やかなんです。それから星々が現われては消えました——翼を持った者たちのために遮られたんです。とっても大きいんじゃないかと思います、実物は。だけどガラスの珠の中では、塔の周りをこうもりが旋回してるように見えたんです。やつらは九羽いたと思います。一羽がぼくの方に向かって真っ直飛んできました。だんだんだんだん大きくなってくるのです。そいつはぞっとするような――いや、いや！　ぼくにはいえない。

「ぼくは逃げ出そうとしました。そいつが珠の内から飛び出してくるんじゃないかと思ったもんですから。だけどそいつは珠をすっかり蔽いつくすほど大きくなると、消えてしまいました。それからあいつが来たんです。あいつは口は利《き》きませんでした。ですからぼくには言葉は聞こえなかったのです。あいつがただこっちに顔を向けるだけで、ぼくにはあいつのいうことがわかったのです。

「『ではお前は戻って来たな？　何故こんなに長い間報告を怠っておったか？』

「ぼくは答えませんでした。あいつはいいました。『お前はだれだ？』ぼくはそれでも答えませんでした。けれどその言葉はひどくぼくを傷つけました。それであいつがやいやいぼくを責めてると、ぼくはいってしまいました。『ホビットです。』と。

「すると不意にあいつにはぼくが見えたようなのです。そしてあいつはぼくを嘲って笑いました。残忍な笑いでした。短剣をいくつも突き刺されるような感じでした。ぼくはもがきました。けれどあいつはいいました。『しばらく待っておれ！　すぐにまた会うぞ。サルマンにいっておけ。この珍味はお前のものじゃないとな。すぐにそいつを取りにやらせるぞとな。わかったか？　それだけいっておけ！』

「それからあいつはほくそえんで、ぼくを眺めました。ぼくは自分がばらばらになるような気がしました。いやだ、いやだ！　もうこれ以上ぼくにはいえない。ほかのことは何も憶えていません。」

「わしの顔を見よ！」と、ガンダルフがいいました。

ピピンは顔を上げて真っ直かれの目を見ました。魔法使はしばらく無言のままじっとかれを見据えていました。やがてかれの顔は次第に和らぎ、わずかながら口許がほころびました。かれは片手をそっとピピンの頭の上に置いていいました。

「よし！　もう何もいうな！　お前は何も害は受けとらん。お前の目には、わしの恐れていたような嘘は見られん。あいつはお前とそう長くは話さなかったからな。ペレグリン・トゥックよ、お前はばかじゃが、正直なばかのままでいることができた。もっと賢いやつならこんな場合はもっと困ったことを仕でかしたかもしれん。じゃが、いいか！　お前は助かった。お前だけじゃない、お前の友人たち全部もだ。それは主として幸運に恵まれたからに過ぎない。二度めには運を当てにすることはできぬぞ。もしかれがお前をその場ですぐに尋問したとしたら、お前はほとんど確実に知っていることを洗いざらいしゃべってしまい、わしら全員を破滅させることになったじゃろう。しかしかれは待ちきれなかった。かれが欲しがったのは情報だけではなかった。かれはお前が欲しかった。それもすぐにな。そうすれば暗黒の塔の中でお前の相手をすることができるからな、時間をかけてゆるゆるとじゃ。身震いはやめろ！　お前が魔法使の仕事におせっかいをやこうというなら、そうしたことも考えとかなくちゃいかんぞ。まあ、いい！　許してやる。元気を出せ！　事態は恐ろしいことになったかもしれぬところ、そうもならずにすんだからじゃ。」

かれはやさしくピピンを抱き上げ、その寝場所まで運んで行きました。メリーがあとからついて行って、かれの傍《かたわ》らに腰を下ろしました。「ここで横になって、休めれば休むといいぞ、ピピン！」と、ガンダルフはいいました。「わしを信頼せい。また手がむずむずしてきたら、わしに話せ！　そんなことは癒《なお》せるもんじゃ。じゃが、わがホビット君よ、とにもかくにも二度とふたたびわしの肘《ひじ》の下に石の塊りは置かんでくれ！　さあ、しばらくお前さんたち二人だけにしとくぞ。」

そういうと、ガンダルフはみんなのところに戻って行きました。かれらはいろいろ思いまどいながら、まだオルサンクの石のそばに立っていました。「危険は思いもかけぬ時にくる。」と、かれはいいました。「際《きわ》どいところで免《まぬが》れた！」

「ホビットは、ピピンはどうですか？」と、アラゴルンがたずねました。

「今頃はもうすっかりよくなってるじゃろう。」と、ガンダルフが答えました。「かれは長くは引き留められなかったし、ホビットというのは目覚ましいばかりの回復力を持っておるからな。こ悪い発作がまたかれを襲うかもしれんからな。というのも残念なことにかれはこれに手を触れ、方々全員もな！　特にあのホビット、ペレグリンにはこの珠の授けられた先を知られてはならん。

「じゃが少なくともこの品物のことは秘密にしておいてくれ。あんたも、そしてここに居並ぶ

「今までは一度もない。それでは道の終わりでつまずくまいぞ。」と、ガンダルフは答えました。

「このわたしが事をせいたり不用心だったことがあるでしょうか？　かくも長い年月をただ待って準備してきたわたしです。」と、アラゴルンがいいました。

用いられるな——今はまだ！　といおう。くれぐれも用心されよ！」

「殿よ、受けられよ！」と、かれはいいました。「ほかの品々が戻ってくることのしるしとして受け取られよ。じゃが、あなた自身がこれを用いられる場合の注意をいわせてもらえば、これを

したままの石を持ち上げると、一礼をしてそれを差し出したのです。

ガンダルフはアラゴルンの顔を眺めました。それから一同を驚かせたことには、かれは被《おお》いを

「確かに危険でしょうが、だれにとってもということはありません。」と、アラゴルンがいいました。「これに権利を主張してもいい者が一人おるのです。何故ならこれは確かにエレンディルの宝物の一つオルサンクのパランティアであり、ゴンドールの王たちの手によってここに置かれたものであるからです。今やわが時は近づきました。それをいただきましょう。」

の記憶も恐怖もうすれ去るのに恐らく時間はかかるまい。もしかしたらあっけない位にな。アラゴルンよ、このオルサンクの石を受け取って管理してくれぬか。危険な預かりものじゃが。」

これを覗《のぞ》いたからじゃ。絶対にそんなことがあってはならなかったのじゃが。かれはアイゼンガルドで絶対にこれに触《さわ》るべきではなかったし、わしはまたもっと機敏に動くべきじゃった。が、わしは心を傾けてサルマンに向かっておった。それでわしにはあの石がどのような性質のものか即座に見当がつかなかったのじゃ。それからわしは疲れてしもうた。それで横になって石のことを考えておる間にとうとうこらえきれず眠ってしまったのじゃ。今にしてわかった！」

「そうです。一点の疑問もありません。これでアイゼンガルドとモルドールをつなぐもののこと、そしてその働き方がやっとわかったわけです。多くのことがこれで説明がつきます。」

「われらの敵どもは不思議な力を持つものよ。それとともに不思議な弱点も！」と、セオデンがいいました。「じゃが、古《いにしえ》からいわれてきたように、『悪意はしばしば悪を損《そこの》う』とな。」

「そのようなことには何度もぶつかりますが、」と、ガンダルフがいいました。「今度の場合はわしらには不思議に運がありましたな。もしかしたら、わしはこのホビットによってゆゆしき結果となるべき大失策から救われたのかもしれませぬ。わしはこの石の用途を見いだすために、これを自分で仔細に調べてみるべきかどうか考えておりました。もしわしがそうすれば、わし自身をかれに見せてしまうことになりましたろう。わしはまだこのような試練には用意ができておりませぬ、たとえいつかはそうなろうとも。が、わしに引きさがる力が見いだせたにしても、今はまだ、かれに見られることは恐ろしい結果を生むことになろう——秘密を守ることがもはや役に立たぬ時が来れば別じゃが。」

「その時はもうきていると思いますが。」と、アラゴルンがいいました。

「まだじゃ。」と、ガンダルフがいいました。「敵の疑念に迷うひと時が残っておる。わしらはこのひと時を使わねばならぬ。かの敵が石はオルサンクにあるものと思いこんでおったことははっきりしておる――どうしてそう思わないわけがあろう？　それ故、ホビットはそこに囚《とら》われているのであり、拷問のために無理矢理サルマンによって珠の中を覗《のぞ》かせられたものと思った。かの暗黒の心は今やホビットの声と顔に占められ、期待の念に充たされておろう。かれが自らの誤りに気づくにはまだしばらくかかるかもしれぬ。わしらはこの時をつかまねばならぬ。これまでわしらはあまりのんびりしすぎた。いざ動かねばならぬ。アイゼンガルド周辺の地は長居する場所ではなくなった。わしはこれから直ちにペレグリン・トゥックを連れて先に行く。かれにとってもその方が、ほかの者が眠っている間暗がりに横たわっているよりよいじゃろう。」

「予はエオメルと十人の騎士たちを手許に置こう。」と、王はいいました。「明朝早々予はかれらとともに出かける。あとの者はアラゴルンと一緒に行ってもよい。そしてその気になったらすぐ出かけるがよかろう。」

「御意《ぎょい》のままに、」と、ガンダルフはいいました。「しかし、丘陵地帯の隠れ場所、ヘルム峡谷まで全速力でお進みあれ！」

ちょうどその時一つの影が一同の上に落ちました。皓々《こうこう》たる月の光が突然遮られたように見えました。数人の騎士たちは大声をあげてうずくまると、まるで頭上からの一撃を防ぐかのように両の腕《かいな》で頭をおおいました。訳のわからない恐怖と恐ろしい冷たさがかれらを襲いました。こわごわかれらは上を見上げました。翼を持った途方もなく大きなものが黒雲のように月をよぎっていきました。それは中《なか》つ国《くに》に吹くどんな風よりも速い速度で飛びながら北に向かいました。その前に星々も光を失いました。それは、過ぎ去って消えました。

一同は石のように体を固くして立ち上がりました。ガンダルフは両腕を下に向けてぴんと突っぱらせ、手を固く握りしめて、じっと上を見上げていました。

「ナズグルじゃ！」と、かれは叫びました。「モルドールの使者じゃ。嵐がやってくる。ナズグルどもが大河を渡りおった！　進め、進め！　夜明けを待たずに進むのじゃ！　速い者は遅い者を待つな！　進め！」

かれはぱっとその場を走り去ると、走りながら飛蔭《とびかげ》を呼びました。アラゴルンはそのあとについて行きました。ガンダルフはピピンの所に行って、両腕にかれを抱え上げました。「お前は今度はわしと一緒に来るんじゃ。」と、かれはいいました。「ひとつ飛蔭にその速さを見せてもらおう。」それからかれは自分が眠っていた場所に駆けて行きました。飛蔭はすでにそこに立っていました。魔法使は自分の全財産である小さな袋を肩に掛けると、馬の背に飛び乗りました。アラゴルンはマントと毛布でくるまったピピンを抱え上げて、ガンダルフの腕の中に坐らせてやりました。

「ではご機嫌よう！　すぐにもあとに続いてくれ！」と、ガンダルフは叫びました。「行け、飛蔭！」

大きな馬は頭を擡《もた》げました。ふさふさ垂れた尻尾が月光に照らされて揺れ動きました。それからひらりと身を躍らせ、大地を蹴って、たちまち山から吹きおろす北風のように見えなくなってしまいました。

「美しい静かな夜ですねえ！」メリーがアラゴルンにいいました。「すばらしく運のいいやつもいるもんですね。かれは眠りたくなかった。そしてガンダルフに乗せてもらいたがってた——そしたらごらんなさい、ちゃんと願いがかなった！　石に変えられて、いましめとして永遠にここに立たされる代わりにですよ。」

「もしかれでなくあんたが先にオルサンクの石を拾い上げてたら、今頃はどういうことになったろう？」と、アラゴルンがいいました。「あんたはあのくらいですまなかったかもしれない。だれにわかろう？　だが今回はわたしと一緒に来ることがあんたの運のよさではないのかな。さあすぐだよ。支度しに行ってくれ。そしてピピンが置いて行った物があれば全部持って来てくれ。大急ぎ！」

平原から平原へと飛蔭は飛ぶように走りました。駆り立てる必要も、道を示す必要もありませんでした。一時間も経たぬ頃、かれらはアイゼンの浅瀬に着いて、そこを渡りました。ローハンの戦死者たちの塚もそこに植えられたたくさんの冷たい槍《やり》も、かれらの背後に灰色に残されました。

ピピンは回復してきました。かれの体は暖かく、顔に受ける風は肌を刺すように爽快でした。かれはガンダルフと一緒でした。身の毛のよだつような石の恐ろしさも、月をおおったぞっとするような影のことも今は記憶からうすれかけ、山々の靄《もや》の中に、あるいは束《つか》の間《ま》の夢の中に残してきた事柄のように思われました。かれは深々と息を吸い込みました。

「ガンダルフ、あなたが裸馬に乗られるとは知りませんでした。鞍もなければ、手綱もないんですね！」

「飛蔭《とびかげ》でなければ、わしはエルフ式の乗り方はせん。」と、ガンダルフはいいました。「じゃが、飛蔭は一切の馬具をつけようとはせんじゃろう。あんたが飛蔭に乗るのではない。かれが喜んであんたを運ぶのじゃ——あるいは然らずじゃ。もし喜んで運んでくれるのなら、それで十分。その時は、あんたがかれの背中にちゃんと乗ってるように注意するのがかれの仕事なのじゃ。あんたが自分で空中に飛び降りるなら別じゃがね。」

「これはどのくらいの速さなんですか？」と、ピピンがたずねました。「風のように速いのに、まるで滑るみたいですね。そして足取りの軽いこと！」

「今は一番速い馬が疾駆《しっく》するぐらいの速度で走っておる。」と、ガンダルフは答えました。「だが、かれにとってはこんなのは速いとはいえない。このあたりは土地がいくらかのぼりになっておるし、川の向こう側にくらべてでこぼこしておる。が見てごらん、星空の下に白の山脈がぐんぐん近づいてきてるじゃないか！　向こうのは黒い槍のようなスリヒルネの峰々じゃ。間もなくわしらは二股道に出て、それから奥谷に行く。ここは二日前の夜、合戦場となった所じゃ。」

ピピンはまたしばらく黙りこみました。ガンダルフが自分自身に聞かすように、低い声で歌を歌うのが聞こえました。詩の短い断片をいろいろな言語で口ずさむうちにも、何マイルかが過ぎていきました。魔法使はやっとホビットにも言葉の意味のわかる歌に移っていきました。ビューと吹く風の音にも消えず数行の言葉がかれの耳にもはっきりと聞こえてきました。

三に三倍する数の
　背高き船と、背高き王らが、
水に沈みし地から潮路烈しき海を越えて、
　持ち来《きた》りしは、何々ぞ？
七つの星に、七つ石、
　また一本《ひともと》の白の木よ。

（訳註　エレンディルとその子らが、西方から中つ国へ移り来た時の歌）

「何をおっしゃってるんですか、ガンダルフ？」と、ピピンがたずねました。

「わしは記憶にある古い伝承の歌をいくつかさらってみたにすぎぬ。」と、魔法使は答えました。「ホビットたちはそんな歌のことは忘れてしまったろう。たとえ昔知っていたものがあったにせよ。」

「いいえ、全部は忘れてませんよ。」と、ピピンがいいました。「それにぼくたちは自分たち自身の歌もたくさん持ってます。あなたには多分おもしろくないでしょうけど。でもその歌は全然聞いたことがありませんね。なんのことを歌ってるんですか――七つの星に七つ石というのは？」

「古代の王たちのパランティアのことじゃよ。」と、ガンダルフがいいました。

「それはなんですか？」

「はるか遠くを見るものの意味じゃ。オルサンクの石もその一つじゃ。」

「それではあれは、あれは、」――ピピンはいいよどみました――「われらの敵が作った物じゃないんですか？」

「いいや、」と、ガンダルフはいいました。「サルマンが作ったのでもない。かれの技《わざ》の及ぶものではない。サウロンの技でも及ばぬものじゃ。パランティアの数々はさいはての西の地のかなた、エルダマールから渡来した。ノルドールがこれを作った。もしかしたらフェアノール自身が手を加えたかもしれぬ。年で数えることなどできぬ遠い遠い昔にな。だがサウロンが悪用できぬ物は何もない。あわれじゃのう、サルマンは！　今にして思えば、これがかれの落とし穴となった。

わしら自身が所有しているより深い技術によって作られた道具というものは、わしらすべてにとって危険きわまりないものじゃ。じゃがやはりかれは責めを負わねばならぬ。愚かにもこれを秘密にしておいたんじゃ。自分の利益のためにな。かれは賢人会議のだれにもこのことについては一言もしゃべったことはなかった。わしらは数々の破壊的な戦いに遇《あ》ってきたゴンドールのパランティアの運命に気をとめたことがなかった。それは人間たちにほとんど忘れられておった。ゴンドールにおいてさえ、ごく少数の者だけの知る秘密じゃった。アルノールにおいては、ドゥネダインの間で歌われる古くから伝わった歌の中でのみ記憶されておった。」（訳註　フェアノールは、上のエルフの中でも最もすぐれた者で、シルマリルの創り手）

「昔の人間たちはそれらを何に使ったのですか？」と、たずねながら、ピピンはこれほどたくさんの質問に次々と答えてもらえることにかつは喜び、かつは驚き、いつまでこの調子で答えてもらえるのだろうかと思いました。

「遠隔の地を見るためじゃ。そして互いに思念の中で話し合うためじゃ。」と、ガンダルフはいいました。「この方法でかれらは長きにわたってゴンドールの国土を守り統一した。かれらはこれらの石をミナス・アノールと、ミナス・イシルと、アイゼンガルドの環状岩壁の中にあるオルサンクに据えた。これらの石の中で他を支配する最も主要な石は滅亡前のオスギリアスの星辰殿《せいしん》の丸屋根の下にあった。残る三つは遠く北方にあった。エルロンドの館《やかた》でのいい伝えによると、その三つはアンヌミナスと、アモン・スール、そしてもう一カ所、灰色の船の船どまりするルーン湾のミスロンドを見下ろす塔山丘陵にはエレンディルの石があるといわれておる。

「一つ一つのパランティアがそれぞれ互いに答え合うのじゃが、ゴンドールにあるのは全部オスギリアスからすぐ見られるようになっておった。察するにこうじゃ。オルサンクの岩の塔は風雪に耐えて残った。それ故この塔にあるパランティアも残ったのじゃ。じゃがこれは単独では遠隔の地のそして遠い昔の事物の小さな映像を見ることしかできぬ。むろんサルマンにとっては大いに重宝《ちょうほう》じゃったろう。じゃがかれはこれだけでは満足しなかったとみえるな。だんだん、だんだん遠くにかれは目を凝らすようになった。そしてついにかれはバラド＝ドゥアにその視線を向けた。そこでかれはつかまったのじゃ！

「アルノールとゴンドールの失われた石が今はどこにあるのか、埋まってしまったか、水底深く沈んだか、だれが知ろう？　じゃが少なくともそのうちの一つはサウロンが手に入れて、その意図に合わせ、その使用に習熟したに違いない。わしの見当ではそれはイシルの石じゃと思う。何故ならかれはもう随分昔にミナス・イシルを奪い、そこを悪しきものの場所に変えた。そこはミナス・モルグルとなったのじゃ。

「きょろきょろと動くサルマンの目がたちまち罠《わな》にかかり引き止められてしまったことは想像に難くない。そしてそれからというもの、かれは遠くから説得されていたこと、そして説得が効を奏さぬ時はおどしをかけられておったこともじゃ。ぺてん師がぺてんにかけられたのじゃ。鷲《わし》の爪にかけられた鷹《たか》じゃ。鋼《はがね》のくもの巣にひっかかったくもじゃ。かれが査察と指示を受けるために頻繁にかれの水晶球の前に来ることを強いられたのはいつからのことか？　その結果オルサンクの石が常にバラド＝ドゥアを向くことになり、今では金剛不壊《ふえ》の意志を持つ者以外はこれを覗《のぞ》けば、かれの心と視界はたちまちかしこに運ばれることになるのじゃ。それにあれはなんと人をひきつけることか！　わしはそれを感じなかったかな？　今でさえ、わが心は意志の力をあれで試してみたいと切望しておる。かれをふり切って逃れ、わが望むところに向けることができるかどうか見たい――広大な大海のかなた、そして茫々たる時をへだてて美しきティリオンの御代《みよ》を見たいのじゃ。そして白の木と金の木がともに花咲く時、想像も及ばぬフェアノールの手と心の業《わざ》をこの目で知りたいのじゃ！」かれは嘆息してぷっつりと黙りこみました。

「そういったことをすっかり前に知ってたらよかったと思います。」と、ピピンがいいました。「ぼくは自分でも何をしてるのか全然わかってなかったのです。」

「いや、いや、わかっておったさ。」と、ガンダルフはいいました。「あんたは自分がまちがったこと、ばかなことをしてるのを知っておった。自分にもそういい聞かせたはずじゃ。もっとも自分の声に耳を傾けはしなかったがね。わしはあんたにこれらのことをすっかり前もって話しはしなかった。何故といって、やっとわしに理解がいったのは、いろいろ起こったことをつらつら考えてみた上でのことじゃもの。あんたとこうして馬上にあって走っている間にわかったといってもいい。がたとえわしがもっと早く話しておったとしても、それであんたの欲望が減じるわけでも、抵抗を容易にするわけでもなかったろう。むしろ逆じゃ！　そうじゃ。火傷《やけど》を負った手が一番よく教えてくれる。そのあとなら火についての忠告も胸にこたえるからな。」

「たしかに。」と、ピピンがいいました。「今なら七つの石が全部目の前にひろげられても、ぼくは目を閉じて両手をポケットに入れてしまいますよ。」

「けっこうじゃ！」と、ガンダルフはいいました。「それこそわしの望んだことよ。」

「でも、ぼく、知りたいことがあるんですけど――」ピピンはまたもや口を切りました。

「かなわん！」と、ガンダルフは叫びました。「知りたいことを教えてやることが、お前さんの好奇心の強さを癒《いや》すことになるのなら、あんたの問いに答えることに余生をすっかり費やすことになろうて。あと何を知りたいのかな？」

「すべての星々の名前を、そしてありとある生けるものの名前を、そして中つ国と天上界と大海をへだてたかなたの地の歴史を。」ピピンはそういって笑いました。「むろんですとも！　これより少ないってことはありませんよ。でも別に今夜は急いでいません。さしあたってぼくが不思議に思ったのはあの黒い影のことです。『モルドールの使者じゃ』ってあなたが叫ばれたのは聞きましたけど。あれは何ですか？　アイゼンガルドで何をしようっていうんでしょう？」

「あれは翼に乗った乗手じゃ。ナズグルじゃ。」と、ガンダルフはいいました。「あれはお前さんを暗黒の塔に連れ去ることもできたのじゃ。」

「だけど、あれはぼくを探しに来たんじゃありませんよね？」ピピンは口ごもりながらいいました。「つまりあれは知らないわけですよね、ぼくが……」

「むろん知らんさ。」と、ガンダルフはいいました。「バラド＝ドゥアからオルサンクまでは直線距離にして二百リーグかそれ以上ある。ナズグルといえど、この間を飛ぶには数時間かかるじゃろう。が、サルマンはオークの襲撃以後もきっとあの石を覗《のぞ》いたにちがいない。そしてかれの秘密の思いが、予期した以上に読みとられたじゃろうことは疑いない。使者はかれが何をしているのか見いだすために送られたのじゃ。そして今夜あのようなことがあったからには、もう一人やって来るじゃろう。それも速やかにな。そこでサルマンはかれが手を染めた悪習の最終的危機に直面するわけじゃ。送るべき捕虜はおらん。見るための石もない。呼び出しにも応じられん。サウロンとしては、サルマンが捕虜をひっこめ、石の使用を拒んでるとしか信じまいよ。真実を使者に話すことは、サルマンの助けにはならぬじゃろう。何故ならアイゼンガルドは廃墟《はいきょ》となったかもしれぬが、かれは今なお無事でオルサンクにおるからな。それ故、かれ自身にその気があろうとなかろうと謀叛人《むほんにん》に見えるじゃろう。ところがかれはわしらの申し出を拒絶した。それはほかでもない謀叛人に見えるというそのことを避けるためじゃ！　このような窮地にあって、かれはどうするつもりか、わしには見当がつきかねる。かれはオルサンクにおる限り九人の乗手たちに抗し得る力をまだ持っているのではないかと思う。かれは抵抗しようとするかもしれぬ。かれはナズグルを罠《わな》にはめようとするかもしれぬ。あるいはせめて今ナズグルが空を飛ぶのに乗っているものを殺そうとするかもしれぬ。その場合にはローハンは馬たちに気をつけよ！

「じゃが、わしにはそれが結果的にどうなるのか、わしらにとっていいことなのか悪いことなのか、わからん。かの敵のもくろみはサルマンに対する激怒のあまり、混乱させられるか、手間どらされるかするじゃろう。かれはまたわしがおったこと、オルサンクの階段に立ったこと——しかもホビットを従えていたことを知るかもしれぬ。あるいはまたエレンディルの世継が生きていて、わしの傍《かたわ》らに立っていたことを知るかもしれぬ。蛇の舌の目がローハンの甲冑《かっちゅう》に欺《あざむ》かれておらなんだら、かれはアラゴルンとアラゴルンの主張する称号を憶えておるじゃろう。わしの恐れているのはそこじゃ。じゃからして、わしらは逃げる——危険から逃れるのではなく、より大きな危険の中に逃げて行くのじゃ。飛蔭《とびかげ》の一歩一歩があんたを影の国に次第に近く連れて行くぞ。ペレグリン・トゥックよ。」

ピピンは何も答えず、不意に寒気に襲われたように、ただマントをぎゅっと摑みました。灰色の地が足許を過ぎていきました。

「さあ、見るがよい！」と、ガンダルフがいいました。「西の谷がわしらの前に開けてきた。東へ向かう道のある所に戻って来たぞ。向こうの黒々とした暗がりは奥谷の入り口じゃ。あの方向にアグラロンド燦光洞《さんこうどう》がある。そのことはわしに聞かんで、ギムリにお聞き。もう一度かれと相会うことがあればじゃが。その時には、初めて、望む以上の長い答が得られるじゃろうよ。お前さんはこの旅の途中では、自分ではその洞窟は見られまいがね。わしらはすぐにその洞窟をはるかあとにする。」

「ぼくはまた、ヘルム峡谷に立ち寄られるものと思ってましたよ！」と、ピピンがいいました。

「では、どこに行かれるんですか？」

「ミナス・ティリスじゃ。その地が戦いの海に取り囲まれる前にな。」

「へえ！　そこまでどのくらいあるんですか？」

「何十リーグ、何百リーグじゃ。」と、ガンダルフが答えました。「セオデン王の居城に行くまでの三倍はある。そして王の居城は、モルドールの使者の飛ぶように直線に行っても、ここから百マイル以上東になるが、飛蔭はもっと長い道を走らねばならぬ。この二つのうちどちらが速いことになるじゃろうか？

「わしらは今から夜明けまで乗り続ける。それまでにはまだ何時間かあるがね。そのあとは飛蔭といえど休まねばならん。どこか山の中の窪地でな。エドラスがいいとわしは思っとるが。眠れたら眠るがいい！　お前さんは暁の最初の光がエオル王家の金色の屋根に射しそめるのを見られるかもしれぬ。そしてそこから二日すれば、お前さんにミンドルルイン山の紫の影と、朝日に白く輝くデネソールの塔の城壁を見せてやろう。

「さあ、行け、飛蔭よ！　走れ、勇敢なる者よ、かつて走ったことがないほど速く走れ！　さあ、わしらはお前の生まれた土地、お前が石の一つ一つに至るまで知っておる土地に来たぞ。さあ、走ってくれ！　望みは速度にかかっておるのじゃ！」

飛蔭は頭を高く擡《もた》げると、高く嘶《いなな》きました。ラッパの音によって戦いに呼び出されたかのようでした。それからかれは急にぱっと飛び出しました。かれの足許からは火花が散りました。夜が飛ぶように通り過ぎていきました。

次第に眠りに陥りながら、ピピンは不思議な感じを味わっていました。さながら自分とガンダルフが石のように静止したまま、走っている馬をかたどった彫像の上にまたがり、その馬の蹄の下をごうごうと鳴る風の音とともに世界がうねり去っていくのでした。

評論社文庫

新版 指輪物語6

二つの塔 上2

一九九二年 七月三〇日 初版発行
二〇〇三年 二月一〇日 20刷発行

●訳 者 瀬田貞二
田中明子

●発行者 竹下晴信

●発行所 株式会社評論社
〒162-0815 東京都新宿区筑土八幡町二-二一
電話営業〇三-三二六〇-九四〇九
FAX 〇三-三二六〇-九四〇八
電話編集〇三-三二六〇-九四〇六
振替〇〇一八〇-一-七二九四

●印刷所 凸版印刷株式会社

●製本所 凸版印刷株式会社

落丁・乱丁本は本社にておとりかえいたします。

ISBN4-566-02367-2 NDC933 228p. 148mm×105mm